冬の日の編みもの

三國万里子

文化出版局

自分が作ったものに、ふと驚くことがあります。
たとえば、編み上がったミトンの片方が針から離れて、
くたりと机に横たわった瞬間。
仕上げのアイロンを当てられる前の、編んだままのかたち。
まだ翼が乾かないヒナのよう、じっと見つめてしまう。
わたしは、これを、こんなふうに作りたかったんだっけ。
でも、かわいいなぁ、と。

多色の編込みのために試作する日。
朝、暗いうちに起きて仕事場に行き、昨日の続きを編みながら光が射してくるのを待ちます。
フェアアイルの色を組み立てるためには、電灯の明かりではなく、自然の光が必要なのです。
しばらく仕事を続けていると、窓の外の虫の音に鳥のさえずりが混じりだし、
やがて鳥たちの声があたり中に満ちます。
明るくなるよという合図です。

それがおさまるころ、部屋の明かりを消して、窓辺に行き、色糸をたくさん並べます。
強すぎない、穏やかな朝の光の下で、調和しそうな色を十数色選び、
その中からベースの色を決めて作り目をして、
色をひとつずつ足しながら、編んでは様子を見ていきます。

編み込む柄は、昔ながらのものでいいのです。
大事なのは、新しい気持ちで、色を探すこと。
それができれば、目に慣れた伝統の柄も、
初めて出会うような姿で現われてくれるはずです。

ひとつのものができ上がると、すぐ次のものに取りかかりたくなります。
編みものは、きりのないあそびのようです。
こんどはどんなものができるのか、知りたい。
意図するとおりにでき上がるとはかぎらないからこそ、おもしろい。
やめられないくらい楽しいから「あそび」、でも
それも人の役に立てば、仕事と呼ばれます。

しあわせな仕事です。
春も夏も、やがてやってくる寒い季節のために編んでいます。
冬の朝夕の道の往き来に、公園で人を待ちながらゲームをするひとときに、
あるいはスケートリンクでひと滑りする日に、
使ってもらえるのを想像しながら。

みなさんにも、この本の編みものを、楽しんでいただけるととてもうれしいです。

三國万里子

CONTENTS

クラシカルアランセーター —— 04
フェアアイルの指出し手袋 —— 06
むくむくカフのミトン —— 08
ボートネックアランセーター —— 10
ボーダーポンポン帽 —— 11
アイススケートする日のマフラー —— 12
レッグウォーマー —— 13
フェアアイルベスト —— 14
コクーンマフラー —— 16
耳帽 —— 17
白い花のショール —— 18
バニラアイス色の帽子 —— 20
ニンテンドーの帽子 —— 21
ケーブルのドルマンセーター —— 22
ねじれ手袋 —— 23
黒と白のカーディガン —— 24
透しベリーのポンチョ —— 26
ヘラジカのミトン —— 28
ガチョウのミトン —— 29
玉編みのリブウォーマー —— 30
モヘアのトリニティカーディガン —— 32
木のミトン —— 33

ステッチのレッスン —— 34
フェアアイルニットのポイントレッスン —— 37
INDEX —— 38
この本で使用している糸 —— 41

編み物の基礎 —— 85

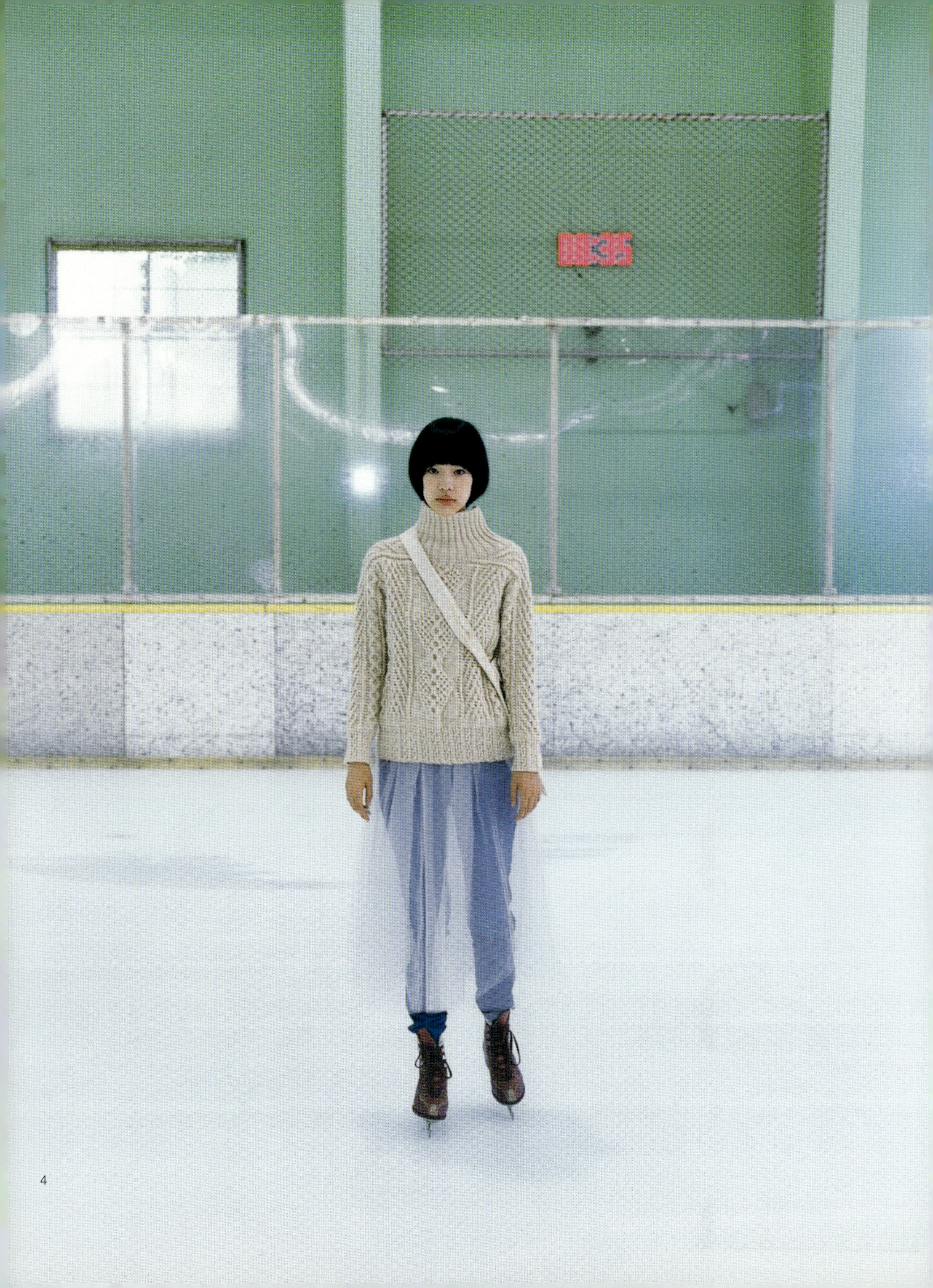

クラシカルアランセーター

ショルダーストラップから伸びる袖と、
小さな交差を組み込んだリブ。
古いフィッシャーマンズセーターの
かたちとディテールを取り入れて編みました。
長く編んだ衿が風をさえぎるので、
アウター代りにも。

see page > **42**

フェアアイルの指出し手袋

「冷たい色と暖かい色を組み合わせる」ことをテーマに色を考えた手袋2組み。
隣り合う色や、足されていく色によって、
はじめに置いた色のイメージがどんどん変わっていくのが
フェアアイルの色選びのつきない楽しさだと思います。

see page > **46**

7

むくむくカフのミトン

上着の袖口をすっぽり入れられるように、大きめに編んだカフ。
裏側にできていくリング編みを編みきって、編み地をひっくり返すと・・・
むくむくが現われる！ これは、スペクタクルです。

see page > **48**

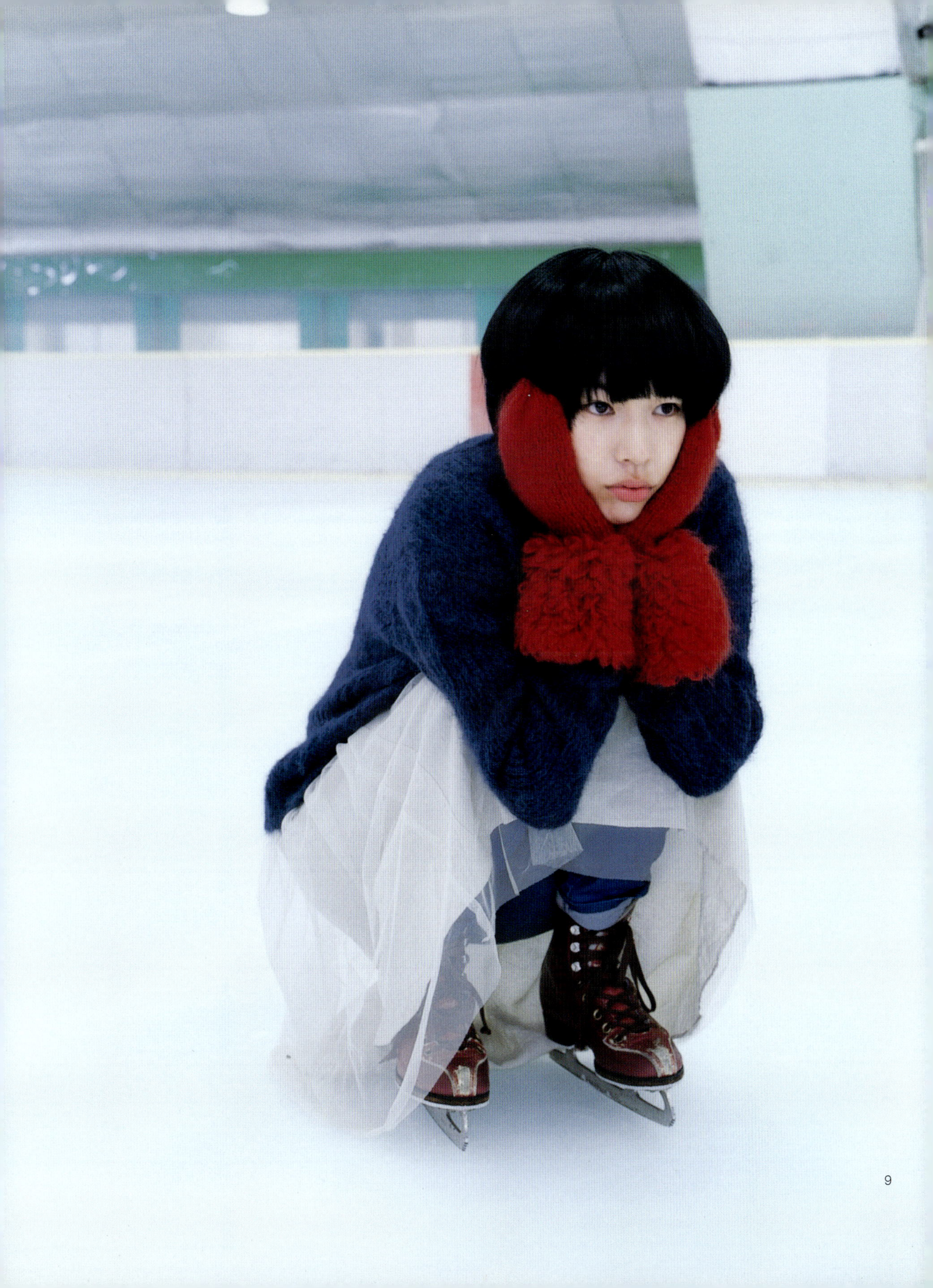

ボートネック　アランセーター

丈は短めで、腕回りはゆったりした
ラグランのセーター。
パンツにもワンピースにも合います。
身頃と袖を編み終わって、ラグラン線をとじると、
ダイヤ柄が3つそろってうれしい。

see page > **50**

ボーダーポンポン帽

イギリスゴム編みのたっぷりした折返しが
本気で暖かいキャップ。
元気な色のボーダーの「こぶ」は、
4目分行きつ戻りつしながら編んでいきます。

see page > **45**

アイススケートする日のマフラー

濃紺にぱっと浮かび上がる色で
「fireflowers（火の花）」というパターンを編みました。
長ーく編んだら、二つに折って脇をとじて、
両端にポンポンをつけて。
巻いたら、
スケート遊びに出かけたくなります。

see page > **54**

レッグウォーマー

これを履くと、ふくらはぎから下が野生動物のよう。
8段下の糸をすくって編む、少し変わったステッチを使います。

see page > **55**

フェアアイルベスト

このベストを編むときに思い出していた景色があります。
子どものころ、秋ごとにキノコ採りに入った薄暗い松林。
木立が切れると現われる、
ぽっかりと日が射す明るい場所が好きでした。
急に鮮明になった足もとをさらによく見たくてしゃがむと、
苔や丈の低い植物、それに積もった松葉が、
茶色と緑の交じったふかふかの層を作っていました。
今でも時々戻りたくなる、わたしにとって、
深くこころが安らぐ色です。

see page > **56**

15

コクーンマフラー

ぽこぽこ、ぷくぷくしたテクスチャー。
パターンの名前は「cocoon（繭玉）」です。
表メリヤスで整然と仕切られた繭玉ができるたび、
あらためてびっくり。
楽しいです。

see page > **63**

耳帽

首と耳がすっぽり包まれるのが好きな人へ。
イギリスゴム編みとガーター編みの、ハンサムなかぶりものです。

see page > **58**

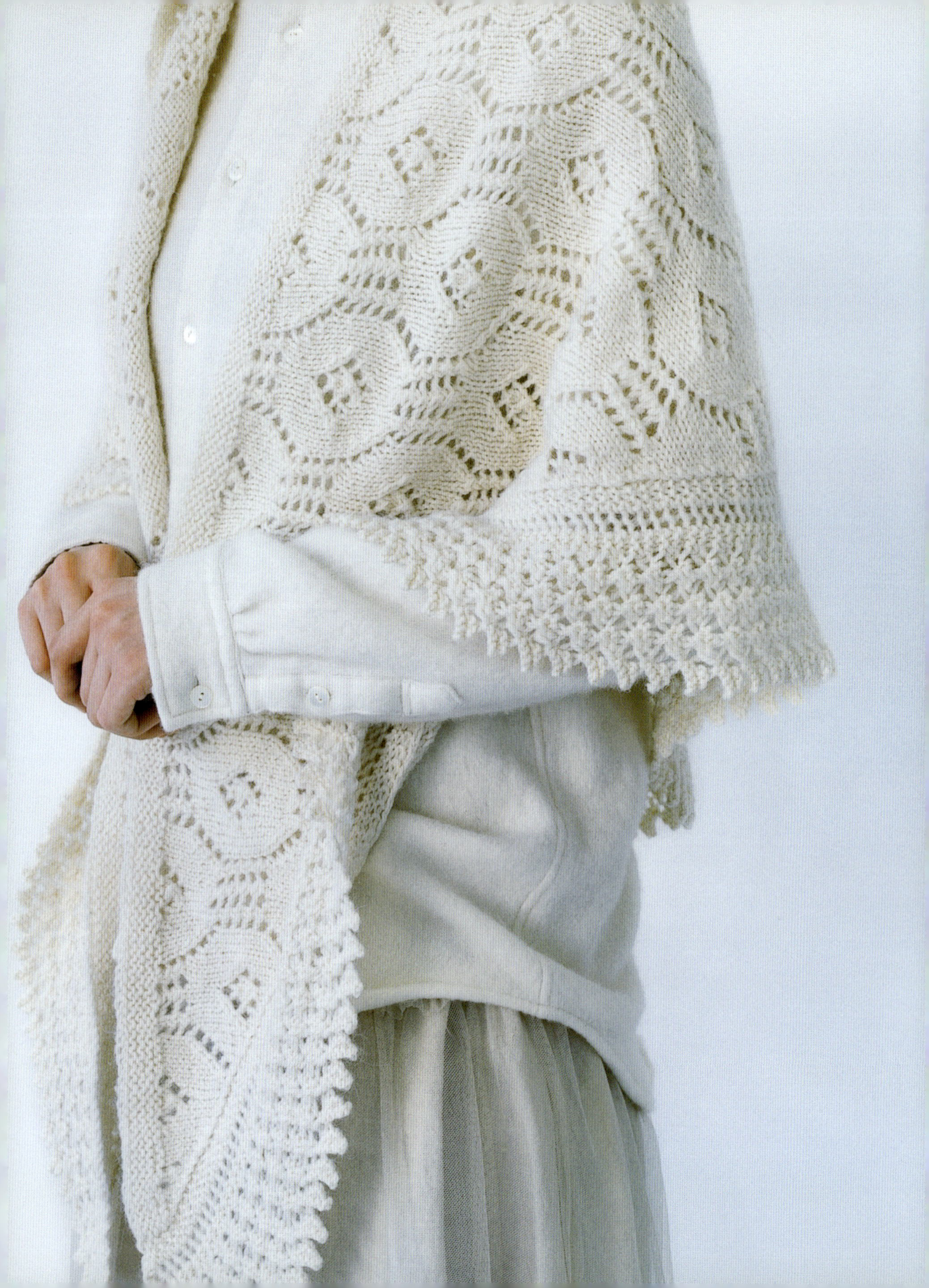

白い花のショール

椿のような白い大きな丸い花は
エストニアの古いレース模様です。
エッジは対照的に細かい柄で編みました。
天気のいい日はこのショールだけはおって
身軽にお出かけしたいです。

see page > **60**

バニラアイス色の帽子

右の帽子と柄は全く同じですが、2色で編むとノルディックらしくなります。
ひとくちに白と言ってもいろいろ。
これはバニラアイスの色ですね。

see page > **64**

ニンテンドーの帽子

小学校のころ夢中で遊んだ
「ゲーム＆ウオッチ」や「ファミコン」のイメージで色を選んだキャップです。
モチーフも、ピコピコ上から降ってきそうなかたち。

see page > **64**

ケーブルのドルマンセーター

一方の袖からもう一方の袖へ、
横に編み進めていくドルマンスリーブのプルオーバー。
太いケーブルは、6本の細いケーブルを
順々に交差して編んでいきます。
重ねる向きを逆にすると、
ケーブルが「ほどけて」見えてしまうので、
なかなか気が抜けません。

see page > **72**

ねじれ手袋

「limp as a glove（手袋みたいにくにゃくにゃ）」という慣用句を、昔覚えました。
この手袋はケーブルがもこもこ厚みを出していて、くにゃくにゃどころか、置けば立ちそう。
はめると、フランケンシュタインのまねしたくなります。

see page > **66**

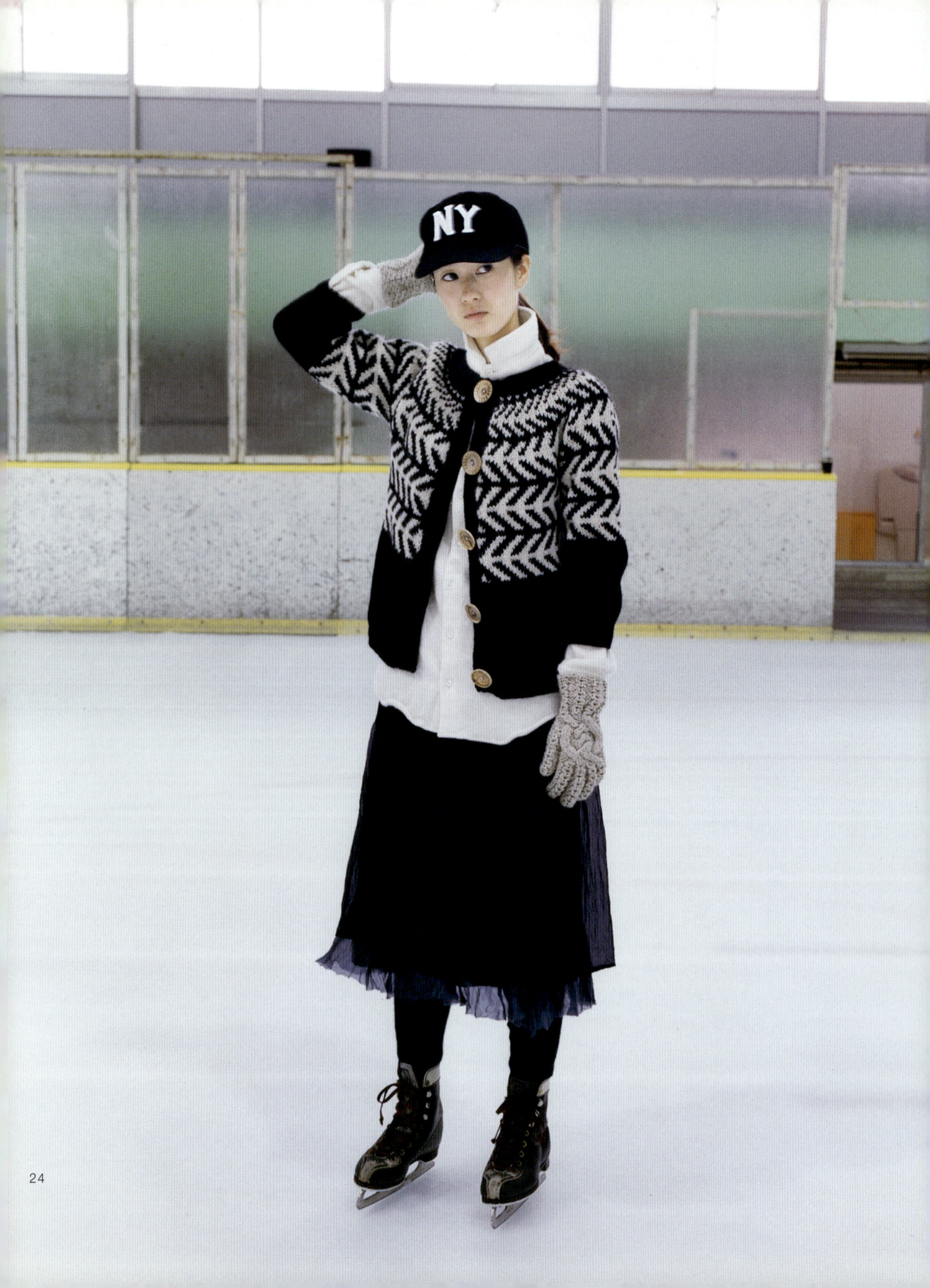
NY

黒と白のカーディガン

ノルディックタイプのヨークセーター。
黒と白が入れ子になった矢印柄は、北風のようでもあり、
海の底の潮が混じる様子のようでもあり。
柄がきれいに続くように減し目のしかたを工夫しています。

see page > **68**

透しベリーのポンチョ

「berries in a box（箱入りベリー）」
という名前のパターンを使った大判のポンチョ。
ベリーひとつひとつの回りはかけ目で透けているので、
中に着た服の色が見えて楽しいです。

see page > **70**

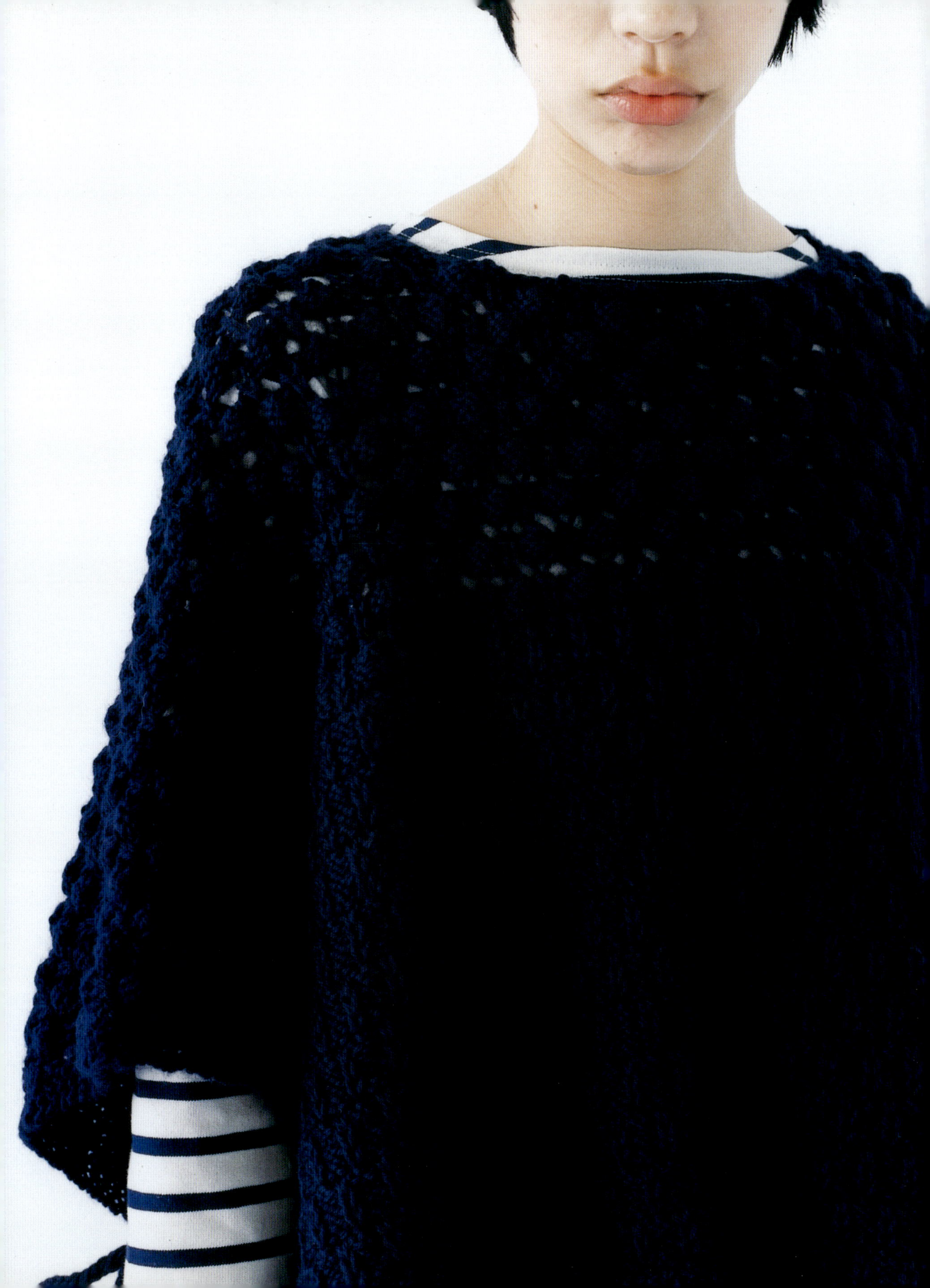

ヘラジカのミトン

トナカイ、ムース、カモシカに、ヘラジカ。
実はどれも見たことがないけれど、ニットではおなじみのモチーフです。
ここでは、つのが立派なヘラジカを、型抜きのビスケットのようにきちんと並べました。

ガチョウのミトン

片翼を上げてあいさつ、ラインダンスを踊る鳥のミトン。
表、裏、右手、左手全部合わせると、なんと48羽もいます！

see page > **73**

玉編みのリブウォーマー

玉編みを三角に並べた、ぶどうみたいな模様で、
薄手のはおりものを作りました。
アルパカの糸で編むと自然な重みで肩になじみ、
着やすいです。

see page > **82**

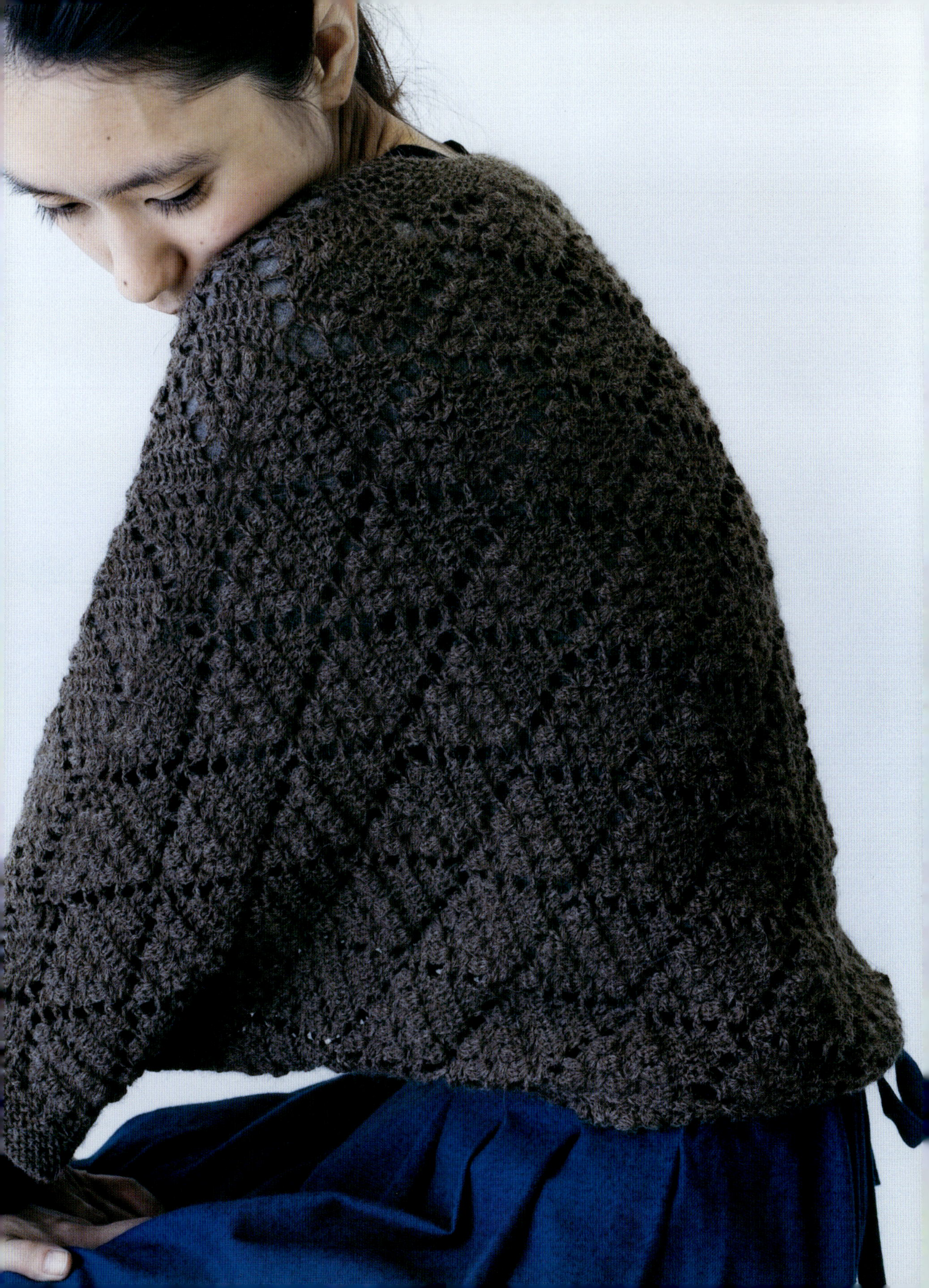

モヘアの トリニティ カーディガン

このタイプのヴィンテージのカーディガンを
古着屋さんでよく見かけます。
ちょっと気の抜けたのんびりした雰囲気に
一役買っているのは、
ボーダーの間にはさまれた
トリニティステッチですね。

see page > **76**

木のミトン

砂漠のサボテンに雪が積もったら、こんなかたち?
かけ目と減し目を組み合わせてできる「枝」が、
ぷくっと浮き出る様子がかわいいので、
仕上げのアイロンはしませんでした。

see page > **80**

ステッチのレッスン

繭玉のステッチ　cocoon stitch　see page > **16, 63**

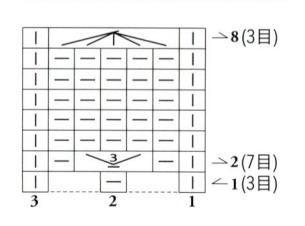

表

裏

① 2段め（裏側）。裏目を1目編み、前段の渡り糸を矢印のようにすくって表目を1目編む。

② 次の目は、表目を編んで左針を抜かないでおき、矢印のように右針を入れて同じ目に裏目を編む。

③ 左針を抜かないでおき、同じ目にさらに表目を編む。編出し3目が編めた。

④ 次の目は前段の渡り糸をすくって表目を編む。渡り糸をすくって編んだ2目と編出し3目で、計4目増えている。

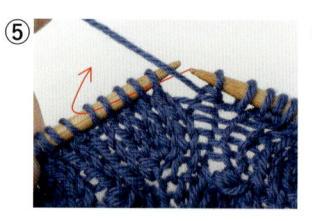

⑤ 8段め（裏側）。裏目を1目編み、矢印のように5目に針を入れる。

⑥ 一度に裏目を編む。5目が1目になり、1段めと同じ目数に戻った。

でこぼこボーダーステッチ　bumpy border stitch　see page > **11, 45**

表

裏

① 1段め（表側）。裏目を★の目まで編み、裏返す。

② 1段めのa段（裏側）。糸を手前側におき、編まずに右針に移す。

③ 続けて裏目を3目編み、表に返す。

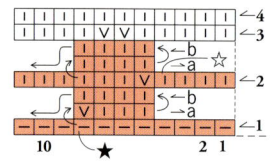

④ 1段めのb段（表側）。表目を4目編む。

⑤ 次の目は1段めに戻って★の目の次の目を裏目で編む。

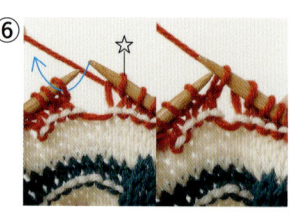

⑥ 2段め（表側）。表目を☆の目まで編む。糸を向う側におき、編まずに右針に移す。

⑦ 続けて表目を3目編み、裏返す。

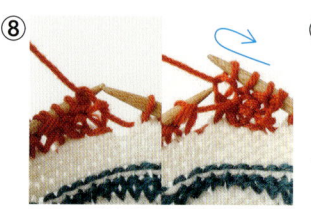

⑧ 2段めのa段（裏側）。裏目を4目編み、表に返す。

⑨ 2段めのb段（表側）。表目を4目編み、2段めに戻って表目を編む。

糸をすくい上げる2色のステッチ　two color dip stitch　see page > **13, 55**

表  
裏

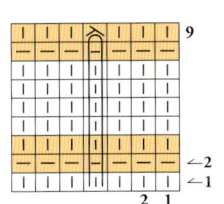

① 1～8段めは編み図に従って表目と裏目で編む。9段め。1段めのループに矢印のように針を入れる。

② 表目を編む。

③ 1段めの目が引き上がる。

④ 次の目を表目で編む。

⑤ ④の目に③の目をかぶせる。

⑥ かぶせたところ。

箱入りベリーのステッチ　berries in a box stitch　see page > **26, 70**

表 
裏

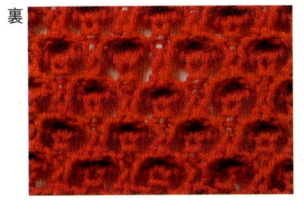

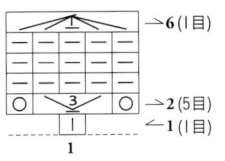

①  2段め（裏側）。矢印のように糸をすくう。

② かけ目ができた。

③ 表目を編み、左針を抜かないでおく。

④ 同じ目にかけ目をして左針を抜かないでおき、さらに表目を編む。編出し3目が編めた。

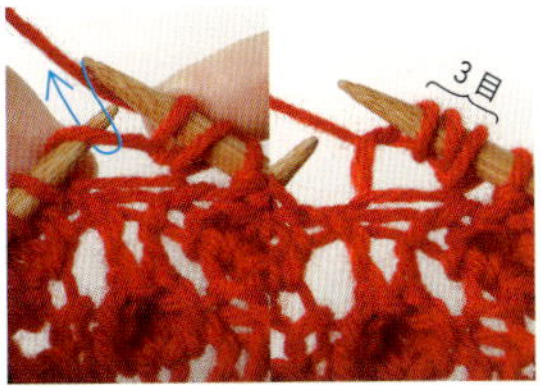

⑤ 次の目はかけ目をする。かけ目2目と編出し3目で、計4目増えている。

⑥ 6段め（裏側）。2目に針を入れ、一度にねじり目を編む。

⑦ 2目が1目になった。さらに矢印のように3目に針を入れ、一度に表目を編む。

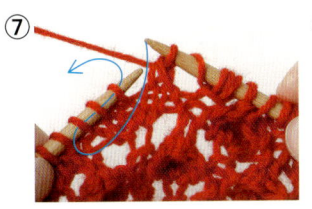

⑧ 3目が1目になった。⑧の目に⑦の目をかぶせる。

⑨ 5目が1目になり、1段めと同じ目数に戻った。

35

火の花のステッチ　fireflowers stitch　see page > 12, 54

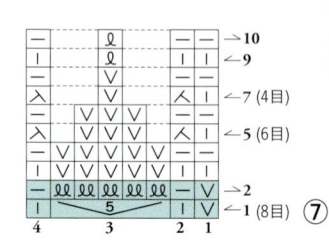

表

裏

① 1段め（表側）。糸を向う側におき、編まずに右針に移す。これがすべり目。

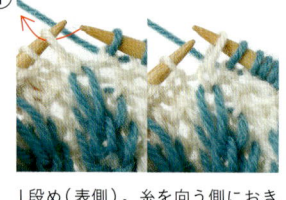

② 表目を1目編み、次の目は、表目とかけ目の編出し5目を編む。次の目は表目を1目編む。

③ 2段め（裏側）。表目を1目編み、次の目に針を入れ、糸を2回巻いて、裏目の要領で編む。

④ 2回巻きのドライブ編み（裏目）が編めた。

⑤ 同様に、2回巻きのドライブ編み（裏目）を5目編む。

⑥ 表目を1目編み、糸を手前側におき（表から見たときに向う側に糸が渡る）、編まずに右針に移す。

⑦ 3段め（表側）。表目を2目編み、前段でドライブ編みした目をすべり目する。左針に巻きつけた糸を伸ばす。同様に5目すべり目。

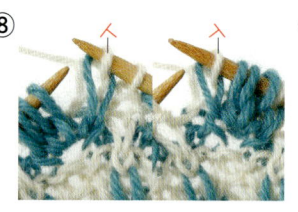

⑧ 同様に、指定の位置で減らしながら編む。写真は5段め（表側）。すべり目した目を2目一度に編んだところ。

⑨ 9段め（表側）。すべり目を6段し続けた頂点をねじり目で編む。

リング細編み　crochet loop stitch　see page > 08, 48

裏

表

編み地の裏側を表として使う。

① 立上りの鎖1目を編み、左手の中指に糸をかけ、編み地の向う側へ下ろす。

② 中指に糸をかけたまま、編み地の向う側を押さえる。このとき、☆の長さがリングの長さになる。

③ 中指で糸を押さえたまま、矢印のように糸をすくう。針に糸をかけて矢印のように引き出す。

④ 引き出したところ。

⑤ 目がゆるまないようにきつめに引き抜く。

⑥ 編み地の向う側にリングができる。これを繰り返す。編み終わったら、裏返す。

フェアアイルニットのポイントレッスン　see page > **14, 56**

スティークを作る

① 右袖ぐりの休み目の手前で、袖ぐりの減し目の左上2目一度を編む。

② 右袖ぐりの18目を休み目にする。9目ずつに分け、かぎ針で8の字を描くように別糸を通して結ぶ。

③ 休み目ができたところ。

④ 編み進めてきた糸でスティークの作り目をする。糸を手前から向う側に向かって右針に2回巻く。

⑤ 1つめのループをつまんで針にかぶせる。

⑥ かぶせたところ。糸を引き締める。これが1目めになる。

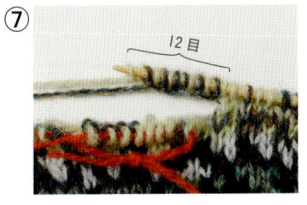

⑦ 同じ要領で、12目作り目する。

⑧ 袖ぐりの減し目の右上2目一度を編む。そのまま続けて後ろを編む。

スティークを切る

① 袖ぐりのスティークの12目の中央（脇）にはさみを入れる。

② 身頃を一緒に切らないように注意してまっすぐ切り開く。肩はぎの1段程度手前でやめておく。

③ 袖ぐりの休み目の糸を中央から半分ほどき、左側9目を2号輪針（40cm）で拾う。

④ 青緑の糸を使い、針にとった目を表目で編む。

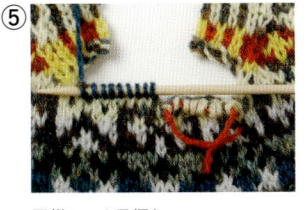

⑤ 同様に、9目編む。

⑥ 続けて、身頃とスティークの間の渡り糸を拾う。

⑦ 同様に、おおよそ3段拾って1段飛ばすことを繰り返して、袖ぐりから124目拾う。

スティークの始末をする　わかりやすいように色を変えています

① 袖ぐりの2目ゴム編みを編み終えたら、裏返す。スティーク6目のうち、端2目を切り落とす。

② 4目残す。身頃を一緒に切らないように注意する。

③ 残したスティークのうち2目を内側に折る。目立たない色の糸で袖ぐりから2目外側の半目と身頃の近くの渡り糸をすくってまつる。

④ 表にひびかないように毎段まつる。前立て衿のスティークも同様に切り、別に編んだ前立てをとじつけてから、裏側を始末する。

INDEX
WEAR

page **04**/**42**

page **10**/**50**

page **14**/**56**

page **22**/**72**

page **24**/**68**

page **26**/**70**

page **30**/**82**

page **32**/**76**

MITTENS & GLOVES

page 06, 07 / 46

page 08, 09 / 48

page 23 / 66

page 28 / 73

page 29 / 73

page 33 / 80

CAP

page 11 / 45

page 17 / 58

page 20, 21 / 64

LEGWEAR

page 13 / 55

SHAWL & MUFFLER

page 12 / 54

page 16 / 63

page 18 / 60

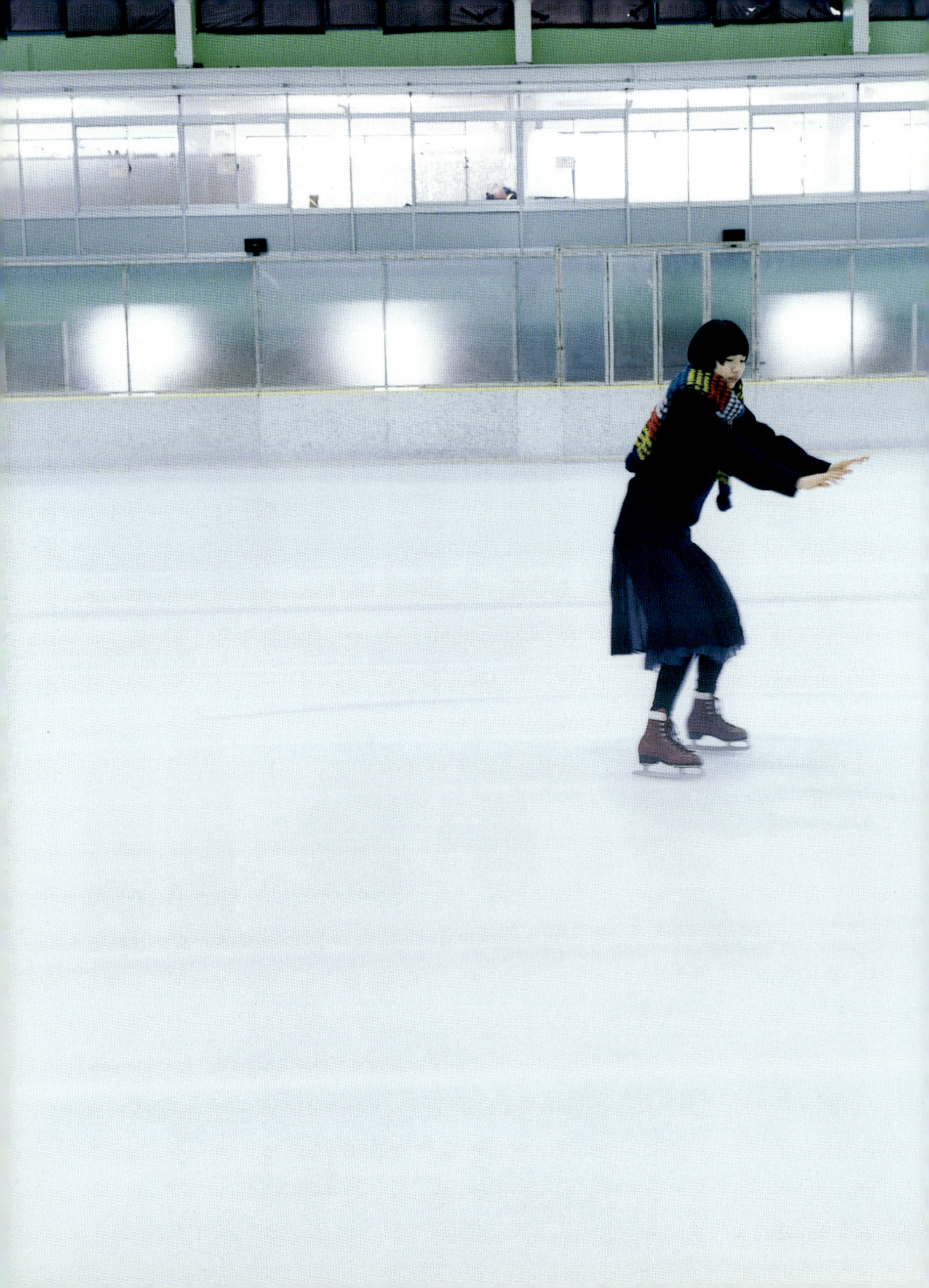

この本で使用している糸

この本の掲載作品は、以下の糸を使用しています。
糸の特性によって、サイズや編み地の出方などにも違いが出ますので、素材や仕立て等の情報を糸選びの参考にしてください。

□ アルパカ〈ファイン〉／ⓡ
太さ … 中細
品質 … アルパカ100％
仕立て … 25g玉巻き（約80m）

□ カシミヤメリノ／ⓡ
太さ … 極太
品質 … ウール70％
　　　　（メリノウール使用）
　　　　カシミヤ30％
仕立て … 40g玉巻き（約100m）

□ キッドモヘアファイン／ⓟ
太さ … 極細
品質 … モヘヤ79％
　　　　（スーパーキッドモヘヤ使用）
　　　　ナイロン21％
仕立て … 25g玉巻き（約225m）

□ シェットランド スピンドリフト
　（Shetland Spindrift）／ⓙ
太さ … 中細（2ply jumper weight）
品質 … ウール100％
仕立て … 25g玉巻き
　（115yd＝約105m）

□ 純毛中細／ⓗ
太さ … 中細
品質 … ウール100％
仕立て … 40g玉巻き（約160m）

□ ソノモノ アルパカウール《並太》／ⓗ
太さ … 並太
品質 … ウール60％、アルパカ40％
仕立て … 40g玉巻き（約92m）

□ ソノモノ《超極太》／ⓗ
太さ … 超極太
品質 … ウール100％
仕立て … 40g玉巻き（約40m）

□ ソフトドネガル／ⓟ
太さ … 並太
品質 … ウール100％
仕立て … 40g玉巻き（約75m）

□ チャビー／ⓟ
太さ … 超極太
品質 … ウール100％
仕立て … 50g玉巻き（約30m）

□ パーセント／ⓡ
太さ … 合太
品質 … ウール100％
仕立て … 40g玉巻き（約120m）

□ ブリティッシュエロイカ／ⓟ
太さ … 極太
品質 … ウール100％
　　　　（英国羊毛50％以上使用）
仕立て … 50g玉巻き（約83m）

□ ミニスポーツ／ⓟ
太さ … 極太
品質 … ウール100％
仕立て … 50g玉巻き（約72m）

ⓗ ハマナカ　ⓙ ジェイミソンズ スピニング（Jamieson's Spinning）　ⓟ パピー　ⓡ リッチモア
毛糸に関するお問合せ先は、92ページをごらんください。商品情報は、2012年10月現在のものです。

page04 クラシカルアランセーター

[糸] パピー ミニスポーツ 生成り（700）770g
[用具] 9号、7号2本棒針、7号4本棒針
[ゲージ] 裏メリヤス編み 9目が5.5cm、24段が10cm 模様編みB 16目が6.5cm、24段が10cm 模様編みC 20目が8cm、24段が10cm
[サイズ] 胸回り102cm、着丈（肩から）57.5cm、ゆき丈68.5cm
[編み方] 糸は1本どりで編みます。

身頃は、指に糸をかける方法で107目作り目し、7号2本針で模様編みAとガーター編みを編みます。9号針に替えて120目に増し、裏メリヤス編み、模様編みB、C、D、C'で図のように編み、編終りは目を休めます。同様にもう1枚編みます。右袖も同様に3目作り目し、9号針で図のように増しながら23段編んで糸を切ります。もう片側も同様に3目作り目して対称に編み、24段めからは2枚を続けて編みます。7号2本針に替え、ガーター編みと模様編みAを編み、編終りは前段と同じ記号で伏止めをします。左袖も同様に編みますが、模様編みCのところをC'にします。身頃と袖の合い印を目と段のはぎでつけます。脇と袖下を続けてすくいとじにします。衿は、7号4本針で身頃と袖から目を拾って2目ゴム編みを輪に編み、編終りは前段と同じ記号で伏止めをします。仕上げに、衿を伸ばしながらスチームアイロンを当てて整えます。

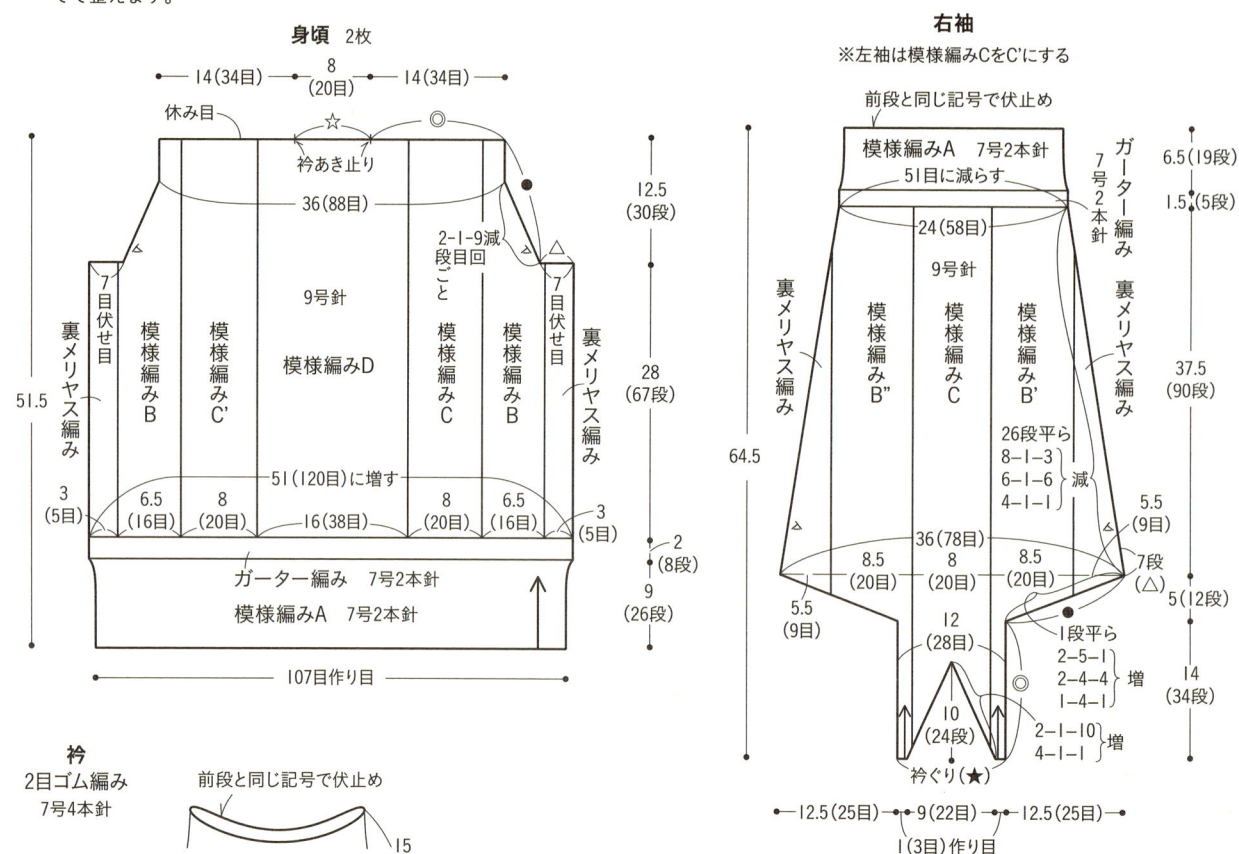

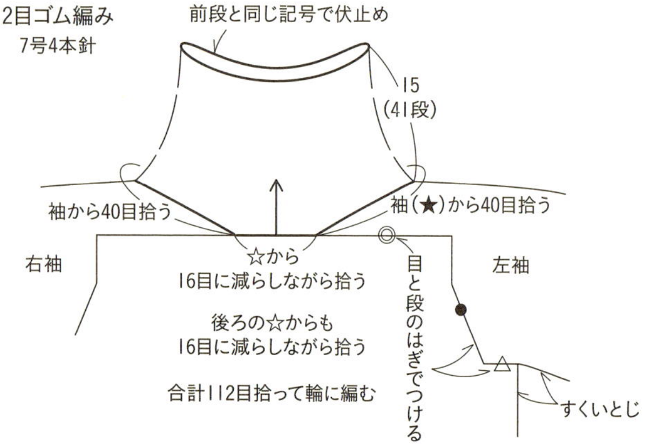

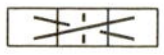

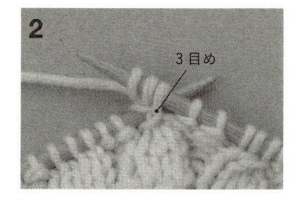

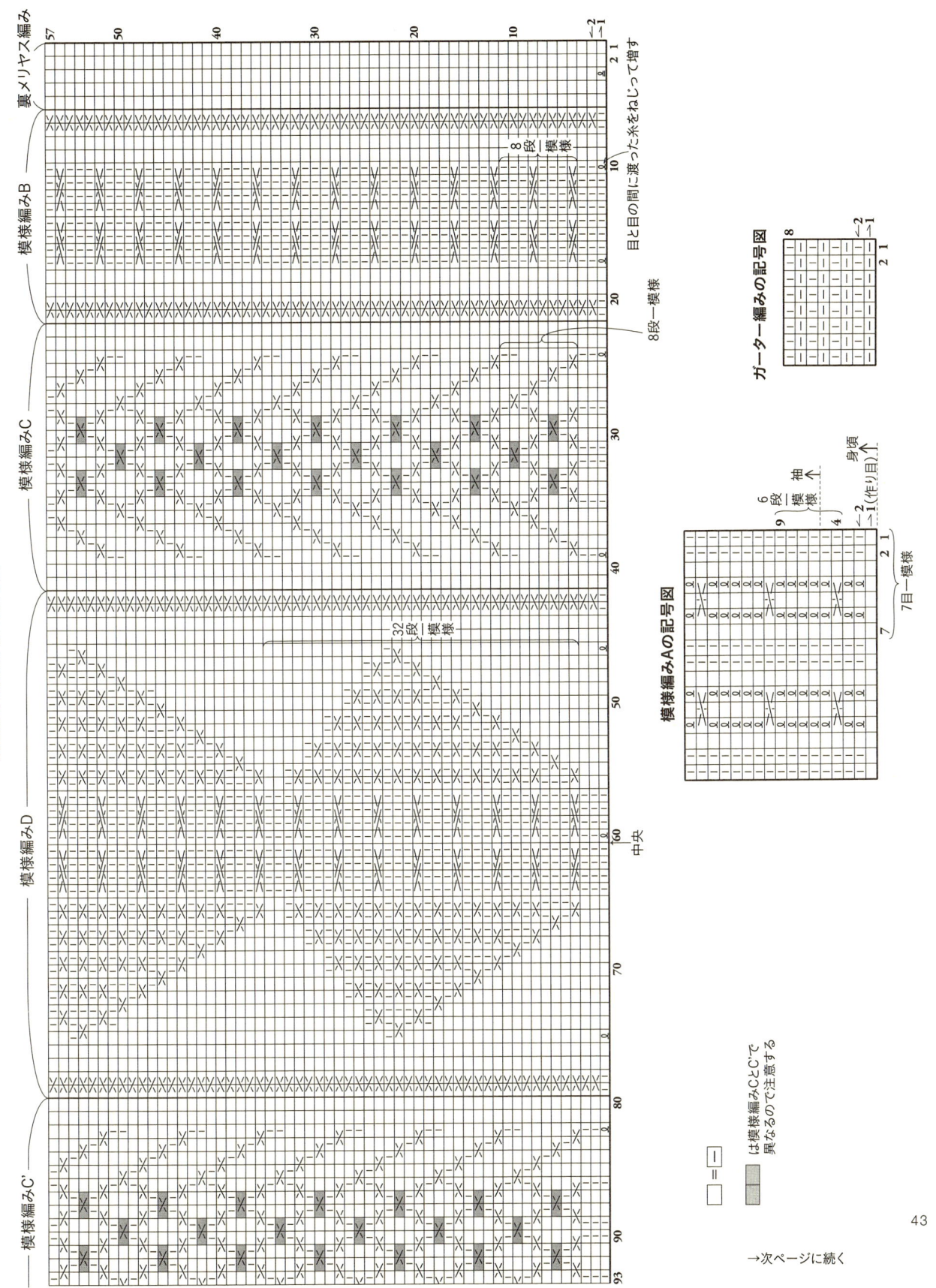

模様編みB、C、C'、Dの記号図

裏メリヤス編み
模様編みB
模様編みC
模様編みD
模様編みC'

- 8段一模様
- 32段一模様
- 目と目の間に渡った糸をねじって増す
- 中央
- →次ページに続く

ガーター編みの記号図

模様編みAの記号図

- 6段一模様
- 9
- 4
- 2
- 1（作り目）
- 身頃 / 袖
- 7目一模様

□ = | —
■ は模様編みごとで異なるので注意する

右袖の編み方

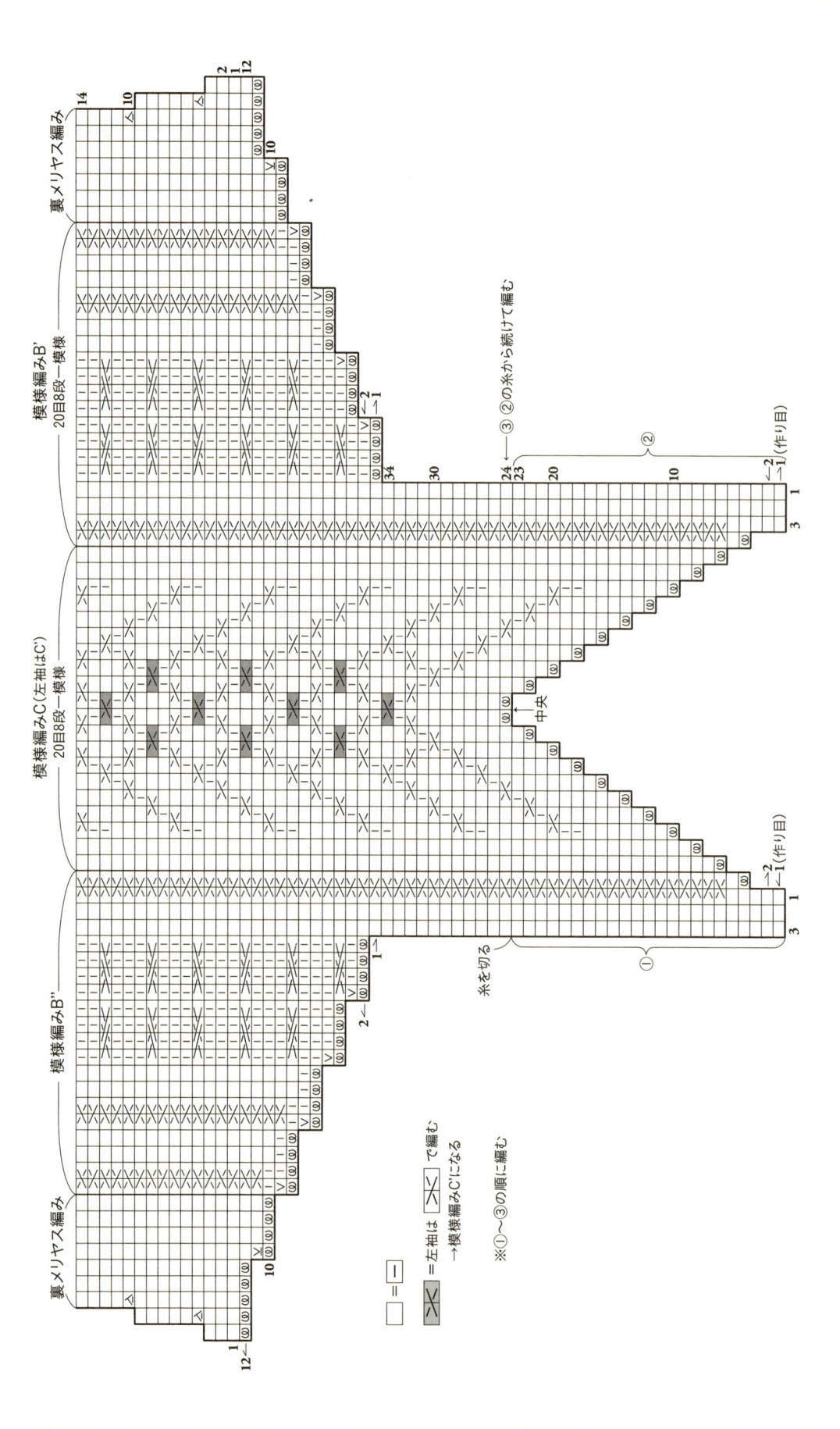

page11 ボーダーポンポン帽

[糸] リッチモア パーセント 生成り（2）110g、
紺（28）25g、黄色（101）20g
[用具] 12号、15号4本棒針
[ゲージ] メリヤス編み 16目が10cm、19段が9cm
模様編み 16目22.5段が10cm四方
[サイズ] 頭回り52.5cm、深さ24cm
[編み方] 糸は2本どりで、指定以外は生成りで編みます。
指に糸をかける方法で80目作り目して輪にし、12号針で変りゴム編みを編みます。15号針に替えて84目に増し、メリヤス編みと模様編み（p.34参照）で編み、最終段で42目に減らし、残った42目に糸を1目おきに2周して絞ります。ポンポンを作ってトップにつけます。変りゴム編みを外側に折り返します。

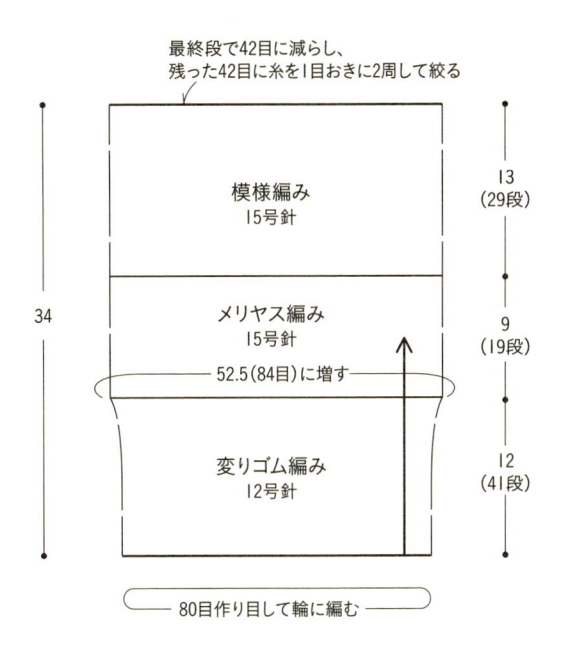

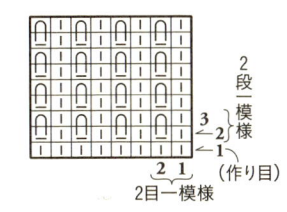

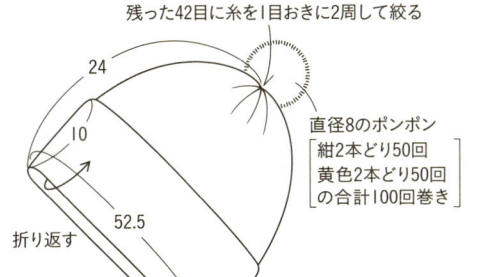

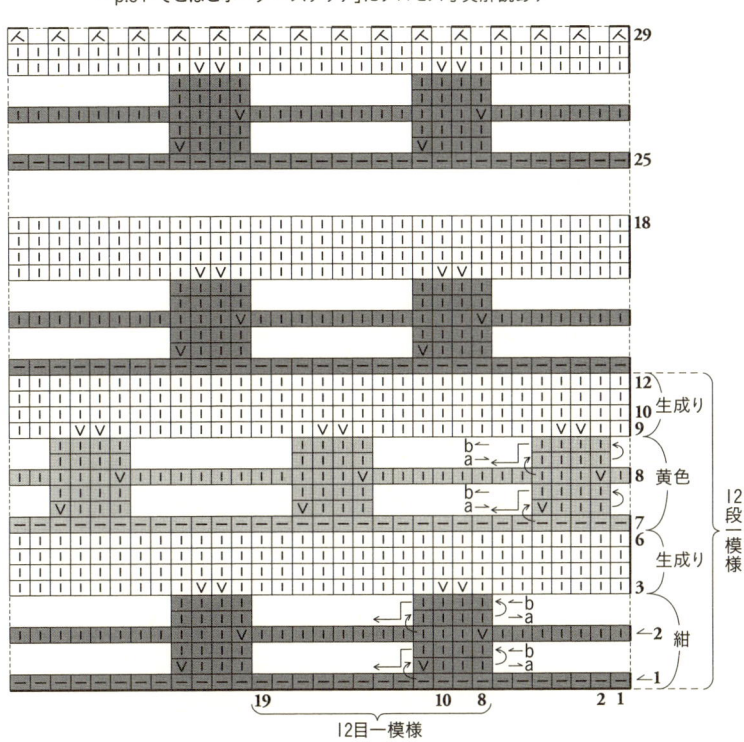

page06 フェアアイルの指出し手袋

左をA、右をBとします。
[糸] 　　ジェイミソンズ シェットランド スピンドリフト
　　　　　A 紺（160/midnight）15g、オレンジ色（462/ginger）、赤（500/scarlet）、濃紺（730/dark navy）各10g、
　　　　　　ライトグレーと薄黄色の混り糸（140/rye）、黄色（400/mimosa）、れんが色（587/madder）各5g、青緑（1020/night hawk）少々
　　　　　B こげ茶（198/peat）15g、ライトグレーと薄黄色の混り糸（140/rye）、ミントグリーン（770/mint）、赤茶（879/copper）
　　　　　　各10g、オレンジ色（462/ginger）、エメラルドグリーン（787/jade）、青緑（1020/night hawk）各5g、赤（500/scarlet）少々
[用具]　3号4本棒針
[ゲージ]　メリヤス編みの編込み模様　31目37段が10cm四方
[サイズ]　てのひら回り19cm、長さ22cm
[編み方]　糸は1本どりで、指定の配色で編みます。
左手を編みます。指に糸をかける方法で52目作り目して輪にし、2目ゴム編みの編込み模様を編みます。60目に増し、メリヤス編みの編込み模様を編みますが、親指穴の下側は別糸を通して目を休め、上側の目を作ります（p.89参照）。2目ゴム編みの編込み模様を編み、前段と同じ記号で伏止めをします。別糸を抜いて目を拾い、2目ゴム編みで親指を編みます。右手は指定の位置に親指穴をあけて編みます。

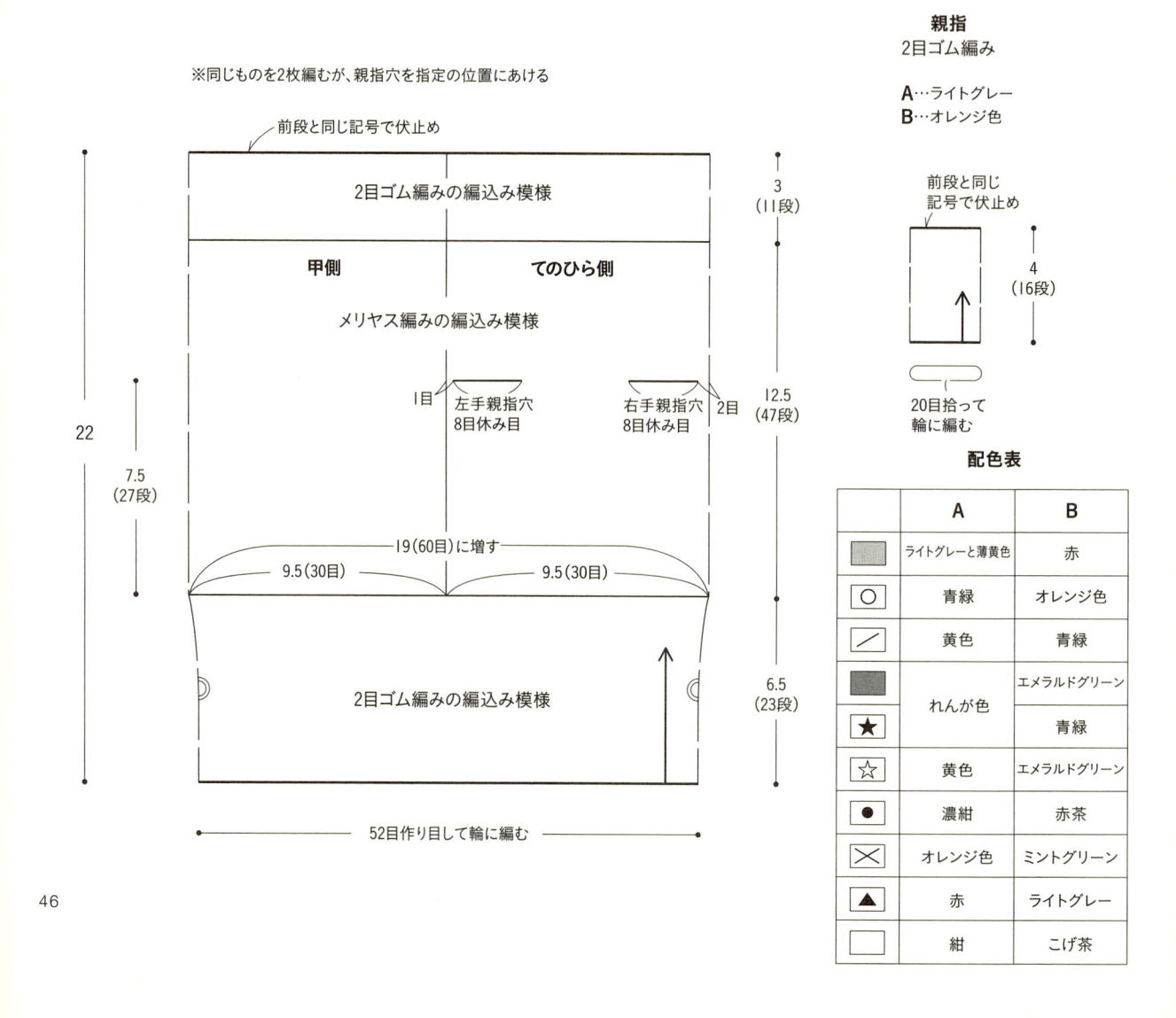

親指
2目ゴム編み
A…ライトグレー
B…オレンジ色

配色表

	A	B
▨	ライトグレーと薄黄色	赤
◯	青緑	オレンジ色
／	黄色	青緑
■	れんが色	エメラルドグリーン
★	れんが色	青緑
☆	黄色	エメラルドグリーン
●	濃紺	赤茶
✕	オレンジ色	ミントグリーン
▲	赤	ライトグレー
□	紺	こげ茶

甲側　　　　　　てのひら側

2目ゴム編みの編込み模様

メリヤス編みの編込み模様

左手親指穴　　　右手親指穴

20目22段一模様

2目ゴム編みの編込み模様

4目1段一模様

目と目の間に渡った糸をねじって増す

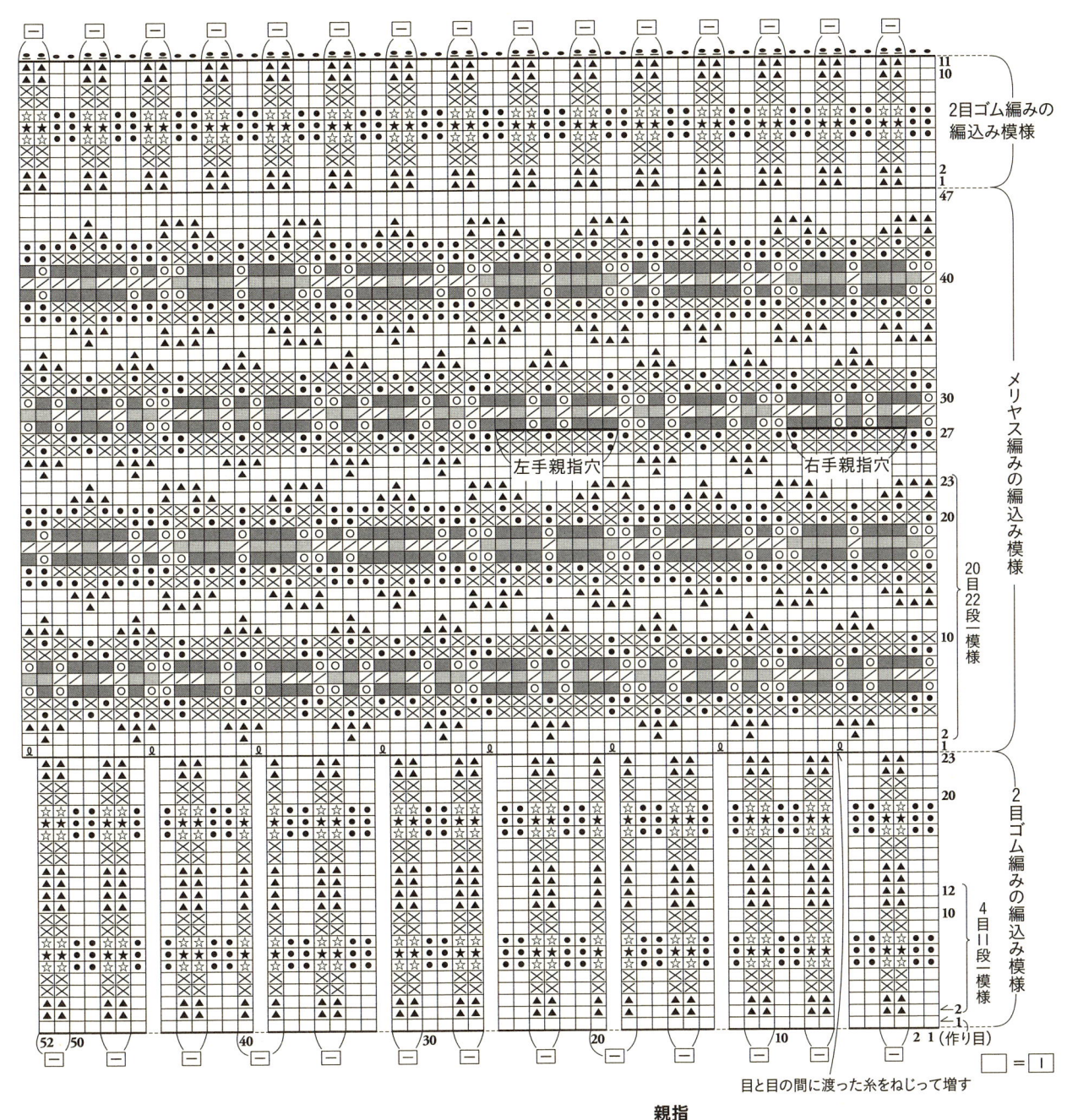

親指の目の拾い方

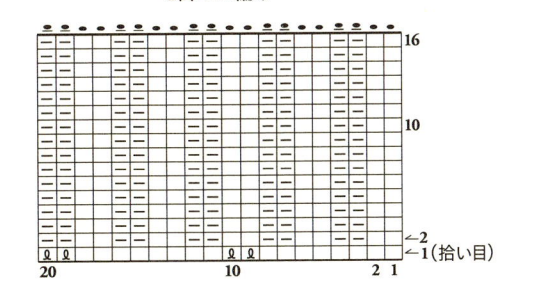

2目 — 8目 — 2目
     8目

親指
2目ゴム編み

page08,09 むくむくカフのミトン

p.08をA、p.09をBとします。
[糸] A パピー ソフトドネガル グレー（5229）110g
　　　B パピー キッドモヘアファイン 赤（36）75g
[用具] 7号4本棒針、7/0号かぎ針
[ゲージ] リング細編み 19目14.5段が10cm四方　メリヤス編み 20目32段が10cm四方
[サイズ] てのひら回り20cm、長さ31.5cm
[編み方] 糸は、Aは1本どり、Bは3本どりで編みます。

左手を編みます。7/0号針を使い、鎖編みで36目作り目して輪にし、細編みを1段編みます。2段めからはリング細編み（p.36参照）で編みます。リング細編みの編み地を裏返し、7号針で32目輪に拾ってメリヤス編みを編みますが、指定の位置で増し目をして親指下のまちを作ります。親指穴の下側は別糸を通して目を休め、上側の目を作ります（p.89参照）。指先を図のように減らし、残った4目に糸を通して絞ります。別糸を抜いて目を拾い、親指をメリヤス編みで編みます。右手は対称に編みます。

左手　※右手は対称に編む

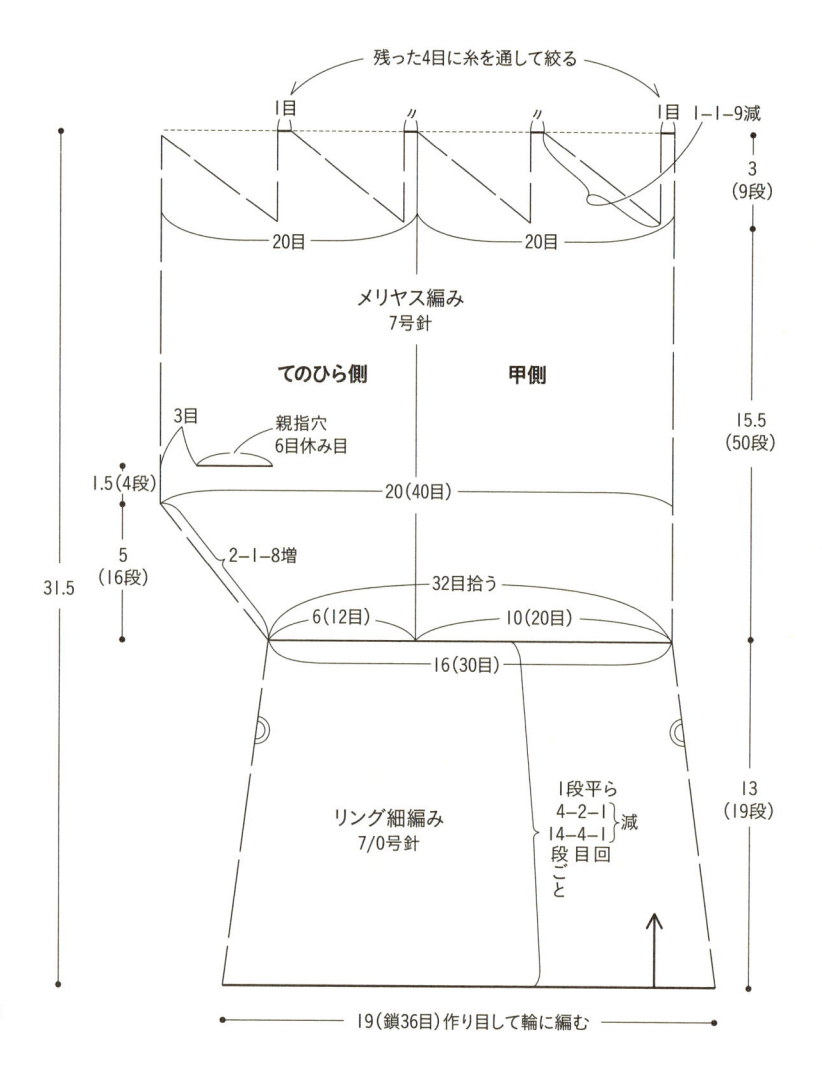

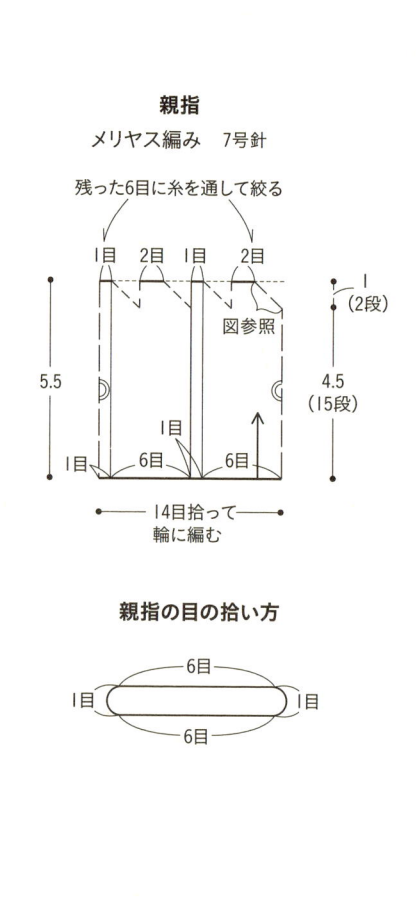

親指
メリヤス編み　7号針

親指の目の拾い方

リング細編みの編み方
→p.36「リング細編み」にプロセス写真解説あり

糸を切る

⊠=リング細編み2目一度

編始め

左手親指下のまちの増し方と指先の減し方

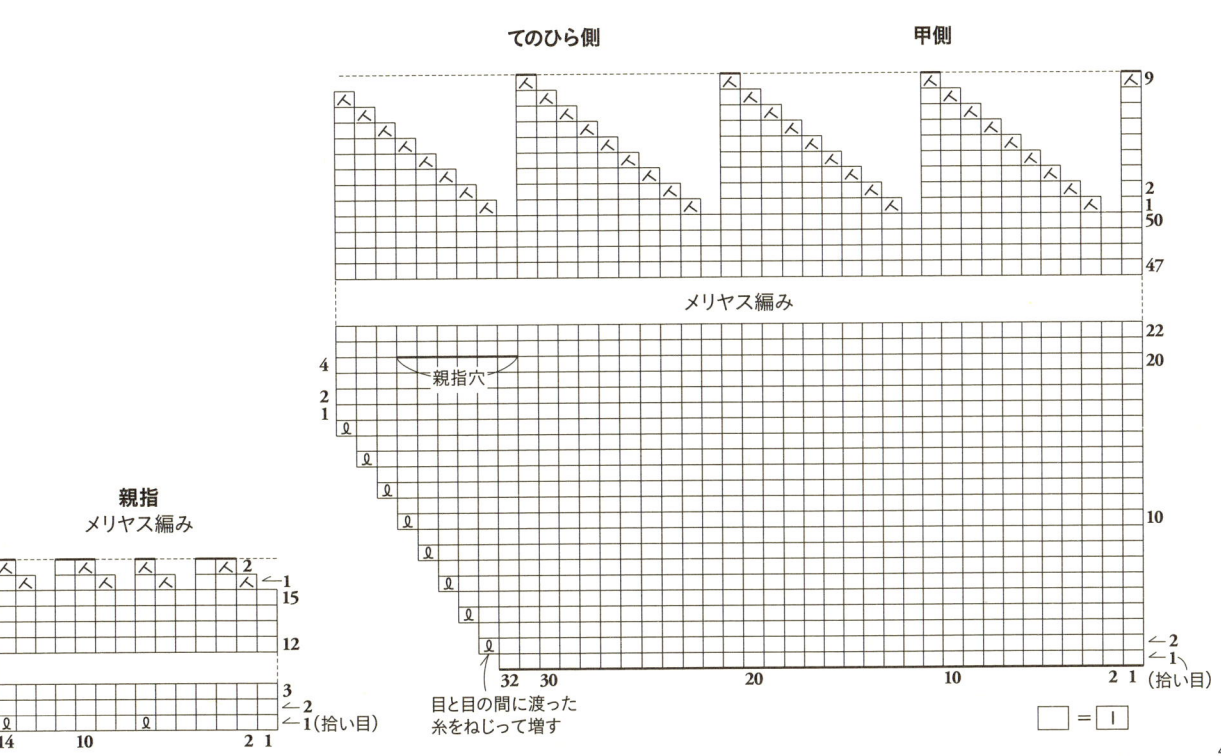

てのひら側　　甲側

メリヤス編み

親指穴

親指
メリヤス編み

目と目の間に渡った
糸をねじって増す

(拾い目)

□=│

page10 ボートネックアランセーター

[糸] パピー ブリティッシュエロイカ オートミール（143）475g
[用具] 8号、10号2本棒針、8号4本棒針
[ゲージ] 裏メリヤス編み 14目が8cm、26段が10cm 模様編みA 10目が5cm、26段が10cm
模様編みB 7目が2cm、26段が10cm 模様編みC 28目が15cm、26段が10cm
[サイズ] 胸回り90cm、着丈（肩から）43.5cm、ゆき丈43.5cm
[編み方] 糸は1本どりで編みます。

身頃は、指に糸をかける方法で82目作り目し、8号2本針でねじり1目ゴム編みを編みます。10号針に替えて90目に増し、裏メリヤス編み、模様編みA、B、C、A'で図のように編み、編終りは伏止めをします。同様にもう1枚編みます。袖も同様に90目作り目して同じ要領で編みますが、指定の位置からは左右別々に編みます。編み地を伸ばしながらスチームアイロンを当てて整えてから、ラグラン線をメリヤスはぎとすくいとじで合わせ、脇と袖下を続けてすくいとじにします。衿ぐりは8号4本針でねじり1目ゴム編みを輪に編み、編終りは前段と同じ記号で伏止めをします。

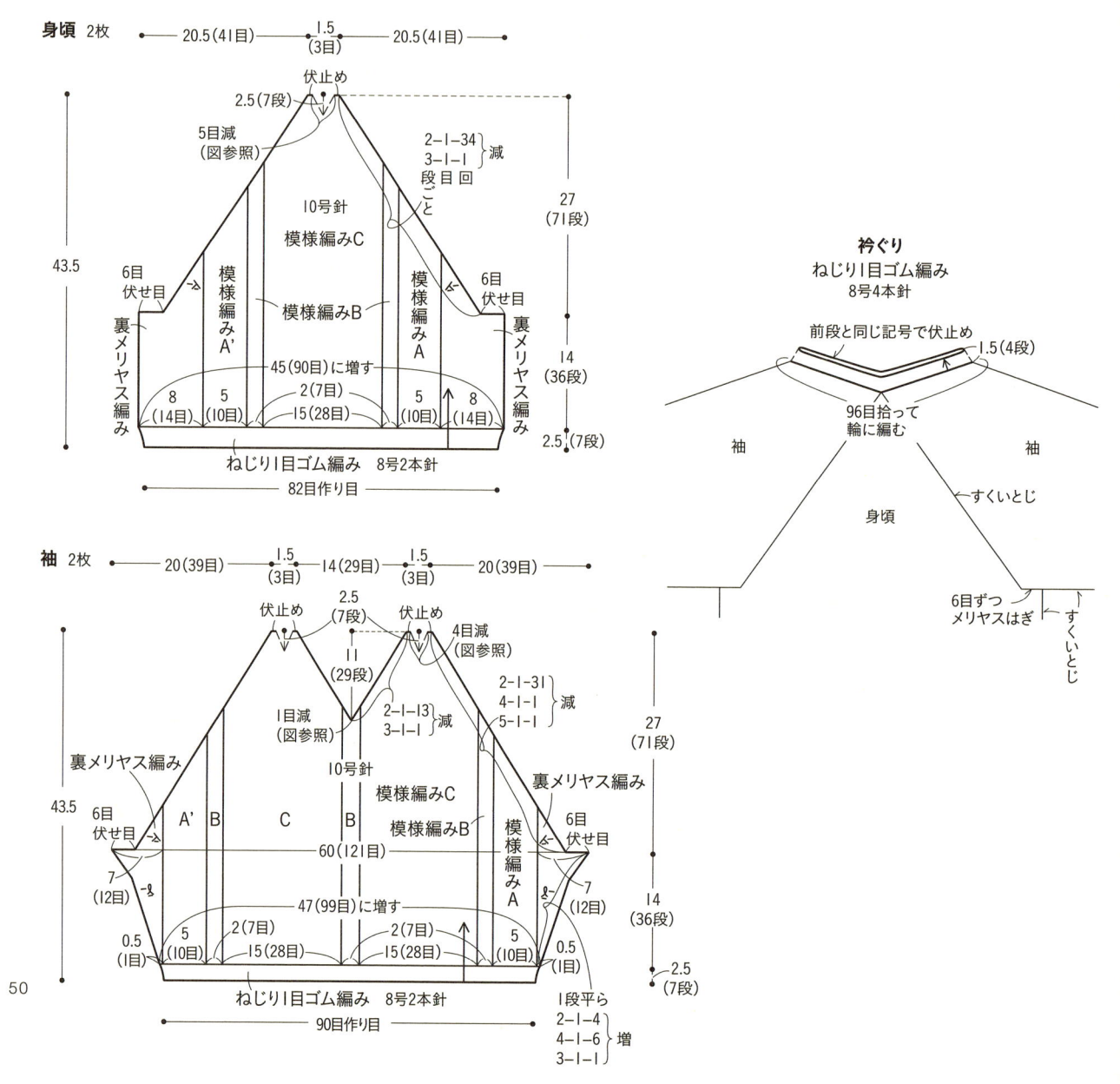

身頃の編み方

→次ページに続く

模様編みA
模様編みB
模様編みC
模様編みB
模様編みA'
裏メリヤス編み
裏メリヤス編み
ねじり1目ゴム編み

4段1模様
8段1模様
24段1模様

目と目の間に渡った糸をねじって増す
(作り目)

□ = |

袖の編み方

衿ぐり

糸をつける

裏メリヤス編み | 模様編みA' | 模様編みB | 模様編みC | 模様編みB
中央

模様編みC　模様編みB　模様編みA　裏メリヤス編み　□=□

目と目の間に渡った糸をねじって増す

page 12 アイススケートする日のマフラー

[糸] リッチモア パーセント
紺（46）185g、
ライムイエロー（14）30g、
オレンジ色（117）、オフホワイト（2）、
サックスブルー（25）各25g
[用具] 8号2本棒針
[ゲージ] 模様編み　22目が10cm、30段が8cm
[サイズ] 幅15cm、長さ146.5cm（ポンポンを除く）
[編み方] 糸は1本どりで、指定以外は紺で編みます。
指に糸をかける方法で65目作り目し、ガーター編み
を18段編みます。続けて、配色しながら模様編みの
縞模様（p.36参照）を510段編み、ガーター編みを17
段編みます。編終りは伏止めをします。
脇をすくいとじにし、編始めと編終りはぐし縫いをし
て絞ります。ポンポンを作って両端につけます。

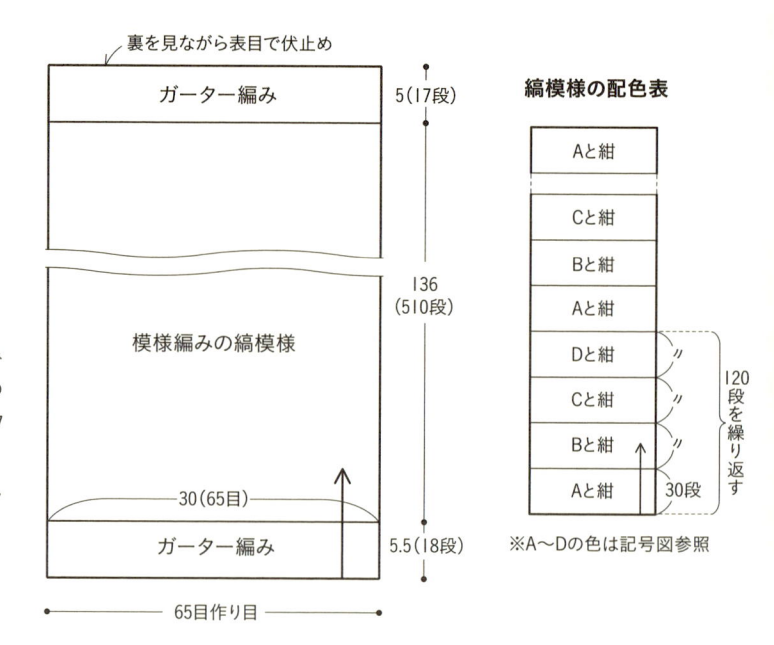

縞模様の配色表

Aと紺
Cと紺
Bと紺
Aと紺
Dと紺
Cと紺
Bと紺
Aと紺

120段を繰り返す　30段

※A〜Dの色は記号図参照

裏を見ながら表目で伏止め
ガーター編み　5（17段）
模様編みの縞模様　136（510段）
30（65目）
ガーター編み　5.5（18段）
65目作り目

模様編みの縞模様の記号図
→p.36「火の花のステッチ」にプロセス写真解説あり

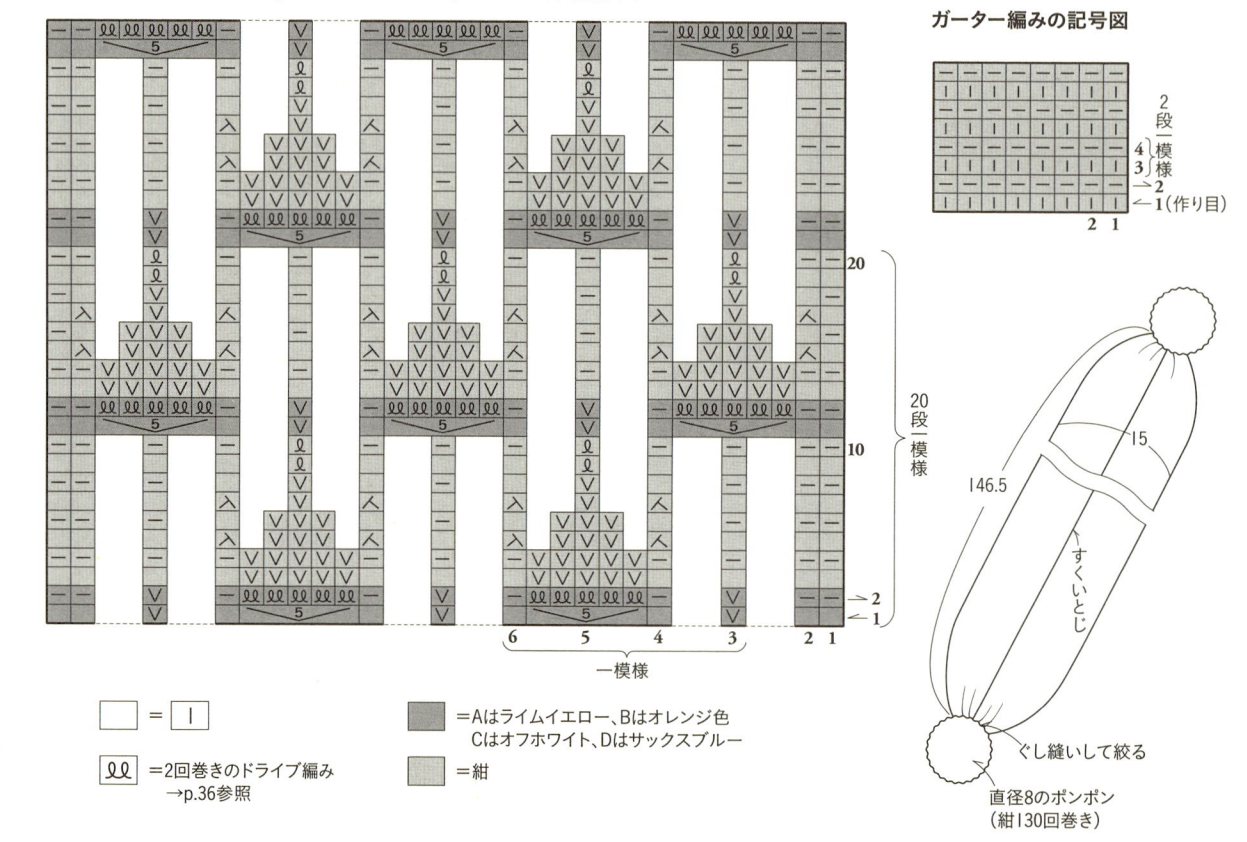

20段一模様

ガーター編みの記号図
2段一模様

□ = |
ℓℓ = 2回巻きのドライブ編み →p.36参照
■ = Aはライムイエロー、Bはオレンジ色　Cはオフホワイト、Dはサックスブルー
▨ = 紺

146.5　15　すくいとじ　ぐし縫いして絞る
直径8のポンポン（紺130回巻き）

page13 レッグウォーマー

[糸]　パピー チャビー　紺（266）280g
　　　パピー キッドモヘアファイン　オフホワイト（2）30g
[用具]　15号4本棒針
[ゲージ]　模様編み　11.5目32段が10cm四方
[サイズ]　筒回り28cm、長さ41cm
[編み方]　糸は、チャビー（紺）は1本どり、キッドモヘアファイン（オフホワイト）は4本どりで、指定以外は紺で編みます。
指に糸をかける方法で28目作り目して輪にし、1目ゴム編みを7段編みます。32目に増し、模様編み（p.35参照）を93段編み、1目ゴム編みを14段編みます。編終りは、前段と同じ記号で伏止めをします。もう片方も同様に編みます。

模様編みの記号図
→p.35「糸をすくい上げる2色のステッチ」にプロセス写真解説あり

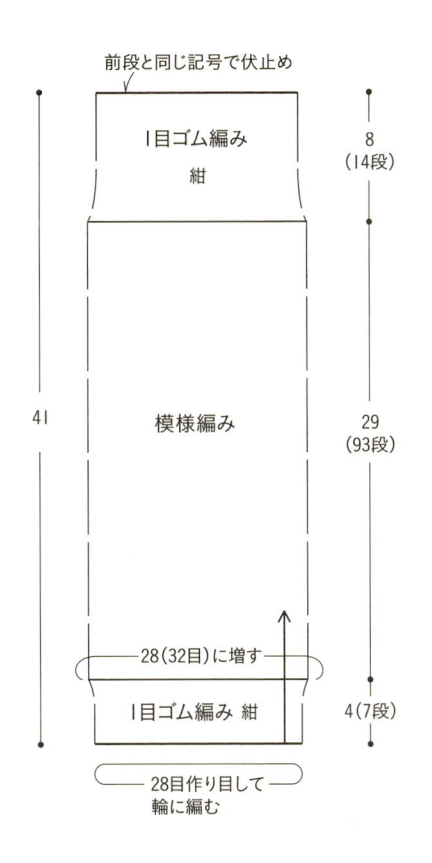

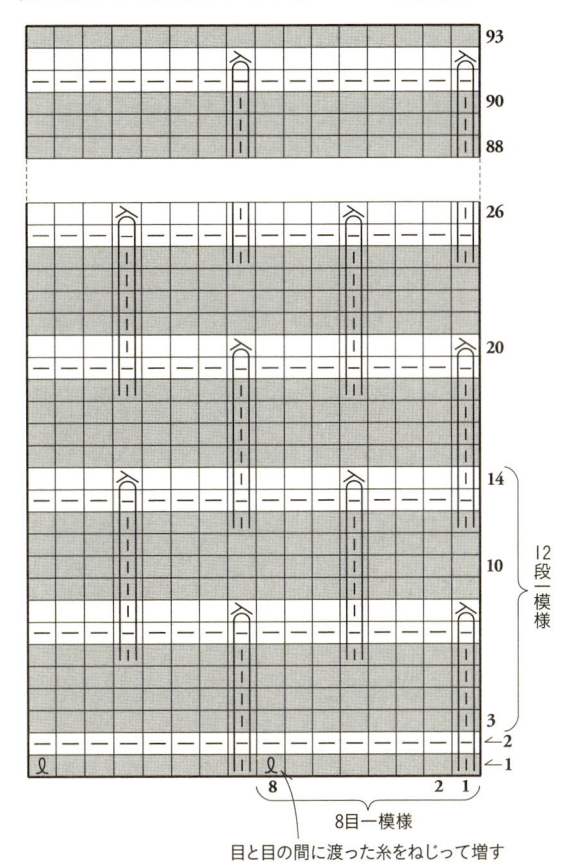

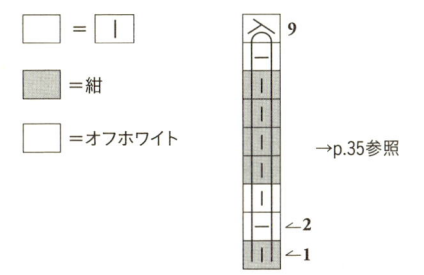

□ = │
■ = 紺
□ = オフホワイト

8目一模様
12段一模様

目と目の間に渡った糸をねじって増す

→p.35参照

page14 フェアアイルベスト

- [糸] ジェイミソンズ シェットランド スピンドリフト
  青緑（1020/night howk）75g、水色（768/eggshell）35g、茶色と水色の混り糸（318/wood green）、クリーム色（350/lemon）、こげ茶系の混り糸（236/rosewood）各30g、深緑（292/pineforest）、淡緑（286/moorgrass）各20g、黄色（400/mimosa）15g、赤褐色（578/rust）、オレンジ色（462/ginger）各10g
- [用具] 4号輪針（80cm、40cm）、2号輪針（60cm、40cm）
- [その他] 直径1.7cmのボタン5個
- [ゲージ] メリヤス編みの編込み模様 30目32段が10cm四方
- [サイズ] 胸回り95.5cm、着丈（肩から）59cm、背肩幅34cm
- [編み方] 糸は1本どりで、指定の配色で編みます。

前後身頃は指に糸をかける方法で240目作り目し、2号輪針（60cm）で2目ゴム編みを往復に編みます。4号輪針（80cm）に替え、スティークを作り目し（p.37参照）、メリヤス編みの編込み模様で輪に96段編みますが、目数が減ってきたら4号輪針（40cm）に替えます。指定の位置を休み目し、袖ぐりのスティークを作り目して肩まで編みます。肩を引抜きはぎにし、スティークを切り開いて始末します。前立て衿は同様に作り目し、2号輪針（40cm）で1目ゴム編みを往復に編み、身頃に巻きかがりでつけます。袖ぐりは2号輪針（40cm）で2目ゴム編みを輪に編みます。ボタンをつけます。

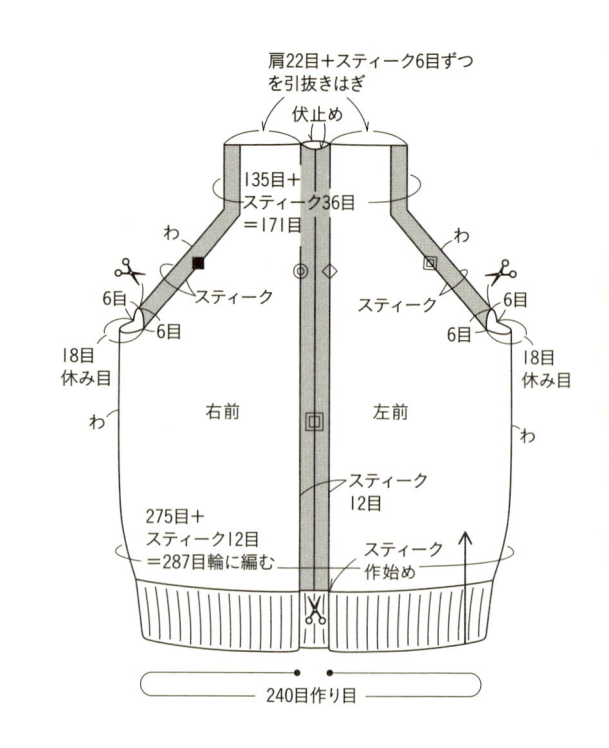

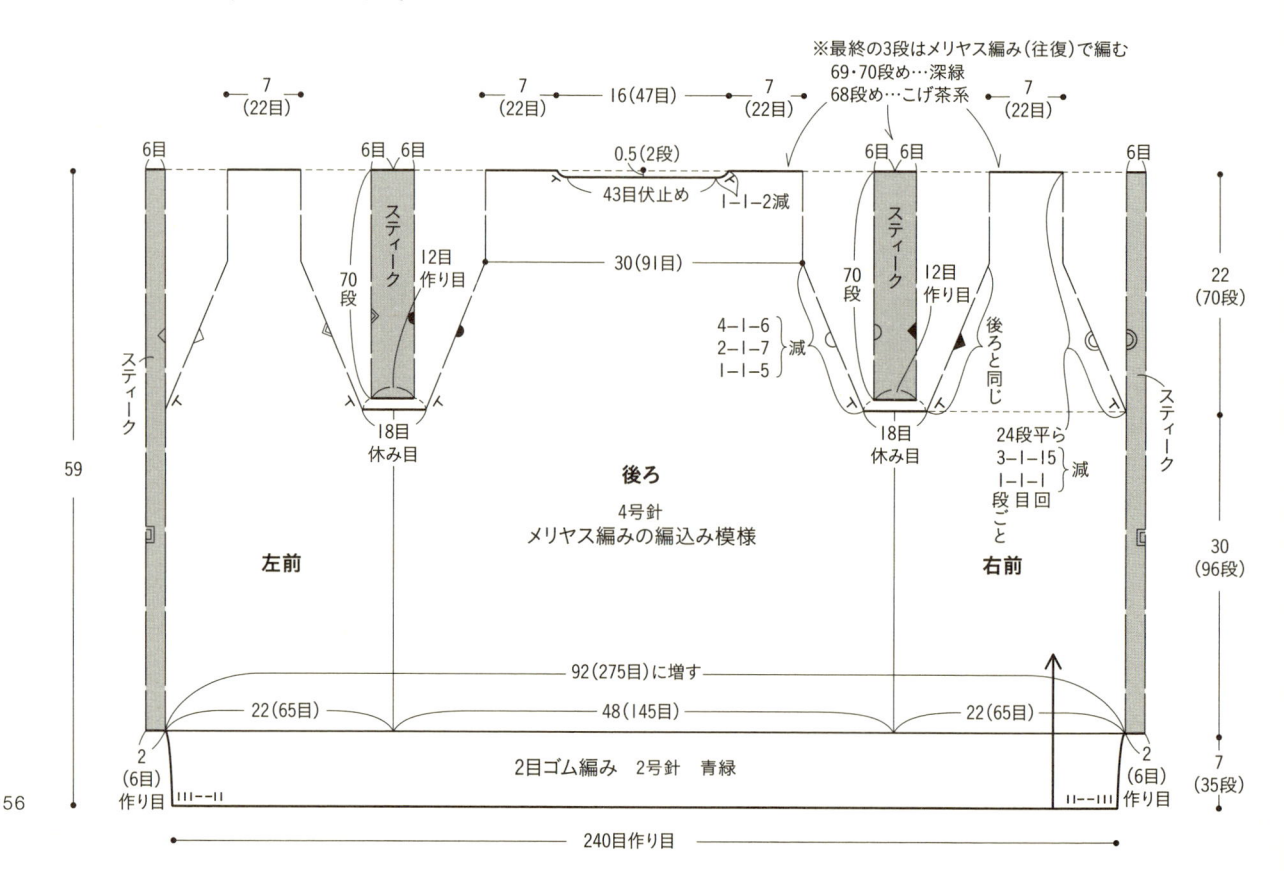

編込み図案

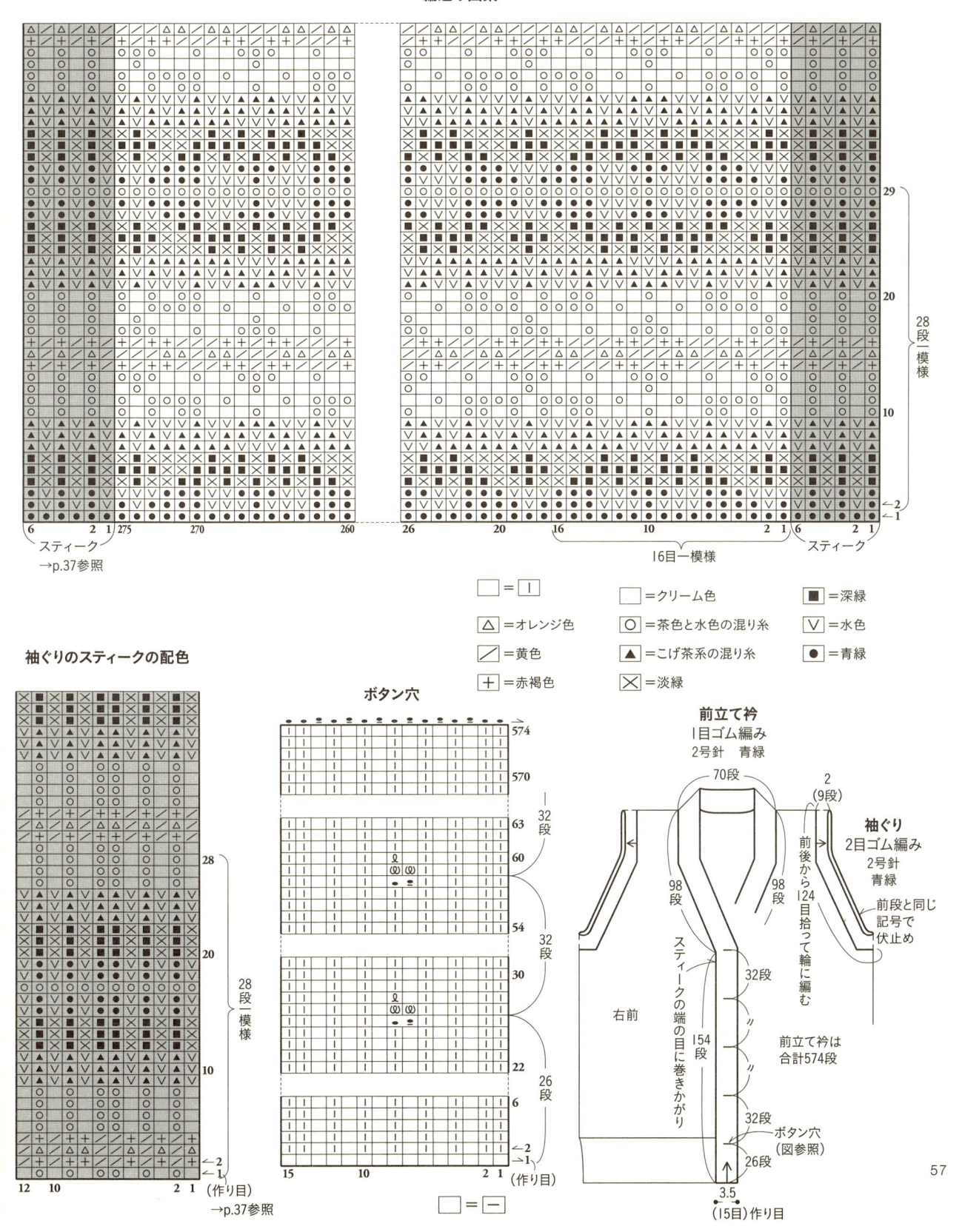

□ = | (クリーム色)
△ = オレンジ色
／ = 黄色
＋ = 赤褐色
○ = 茶色と水色の混り糸
▲ = こげ茶系の混り糸
✕ = 淡緑
■ = 深緑
V = 水色
● = 青緑

袖ぐりのスティークの配色

ボタン穴

前立て衿
1目ゴム編み
2号針　青緑

袖ぐり
2目ゴム編み
2号針　青緑
前後から124目拾って輪に編む
前段と同じ記号で伏止め

右前

スティークの端の目に巻きかがり

前立て衿は合計574段

ボタン穴(図参照)

16目一模様　　28段一模様

page17 耳帽

- [糸] ハマナカ ソノモノ《超極太》 ベージュ（12）155g
  ハマナカ 純毛中細　生成り（1）少々
- [用具] 12号4本棒針
- [ゲージ] ガーター編み　13.5目24段が10cm四方　変リゴム編み　13.5目30段が10cm四方
- [サイズ] 頭回り52cm、深さ21cm
- [編み方] 糸は、刺繍以外はベージュ1本どりで編みます。

左耳当ては指に糸をかける方法で20目作り目し、ガーター編みで引返し編みをしながら編み、編終りは目を休めます。右耳当ては同様に編み、編み地の裏側を表として使います。ベルトは、左耳当てから20目拾い目、針にかかった目から編み出す方法で18目作り目、右耳当てから20目拾い目、12目作り目し、ガーター編みを輪に編みます。続けてクラウンを変リゴム編みで編み、トップを図のように減らします。残った28目に糸を1目おきに2周して絞ります。回りに刺繍をし、ポンポンを作ってトップにつけます。

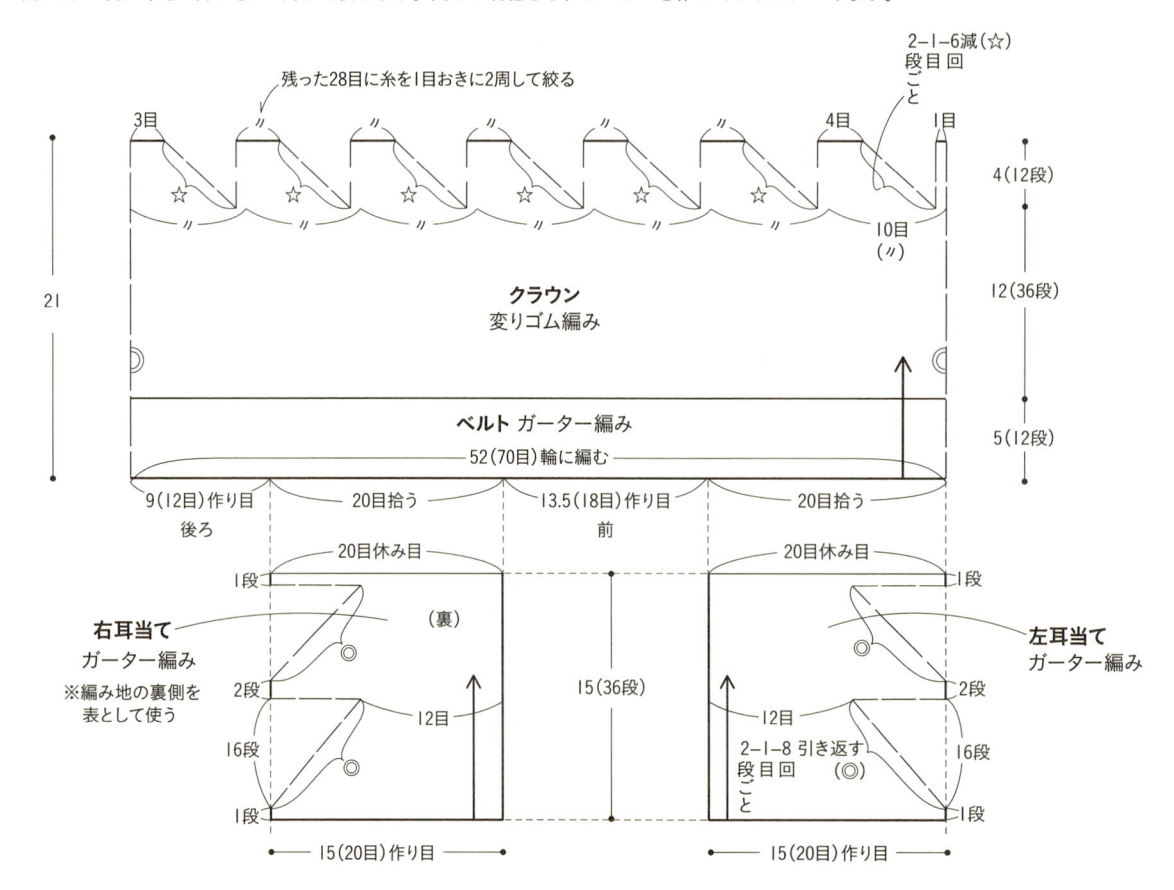

引返し編みの編み方

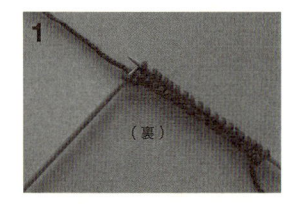

1 2段め編終り。1目編み残す。

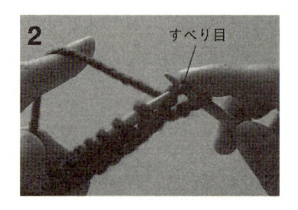

2 3段め。1目めはすべり目をする。

3 偶数段は図のように編み残し、奇数段は1目めをすべり目にすることを繰り返し、17段編む。

4 18段め。すべての目を編む。

右耳当ての編み方
ガーター編み（毎段裏目を編む）
※編み地の裏側を表として使う

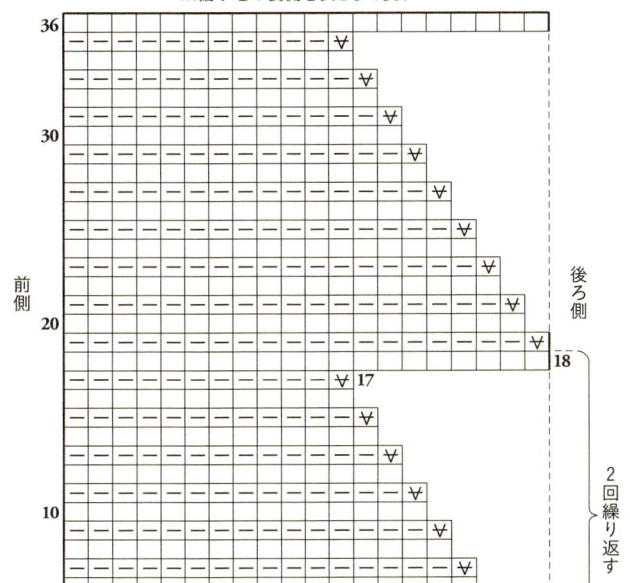

左耳当ての編み方
ガーター編み

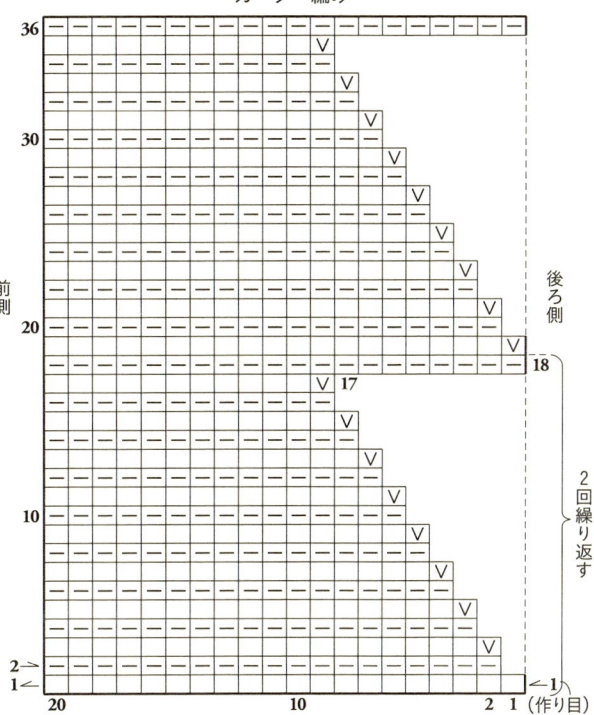

変りゴム編みの記号図

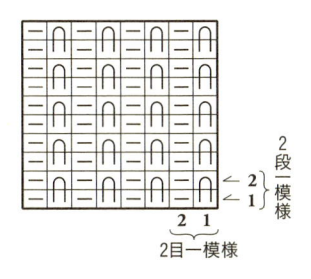

2目一模様
2段一模様

ガーター編みの記号図

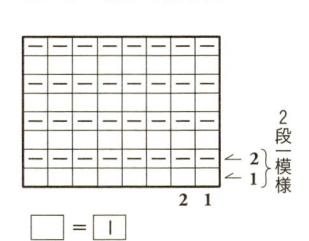

2段一模様
2目一模様

□ = |

トップの減し方

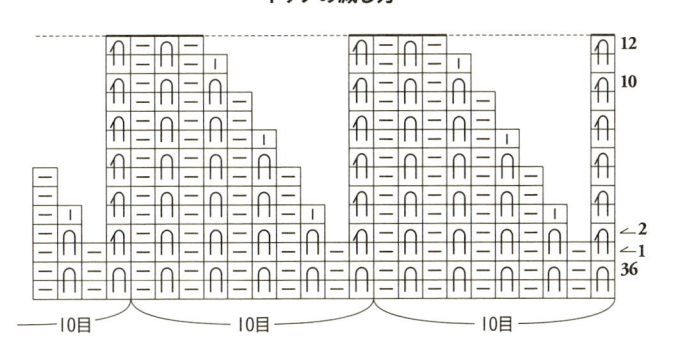

10目　10目　10目

引上げ編みの右上2目一度
1段め…表目を編む
2段め…前々段の目に針を入れて編まずに移し、次の目を編み、移した目を編んだ目にかぶせる

ブランケット・ステッチ

2出
1入

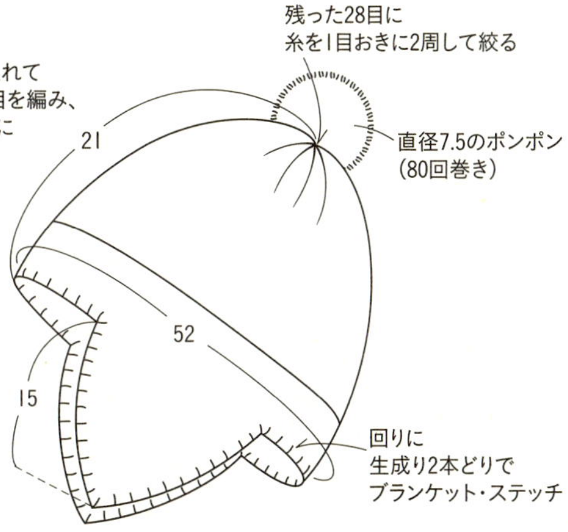

残った28目に糸を1目おきに2周して絞る
直径7.5のポンポン（80回巻き）

21
52
15

回りに生成り2本どりでブランケット・ステッチ

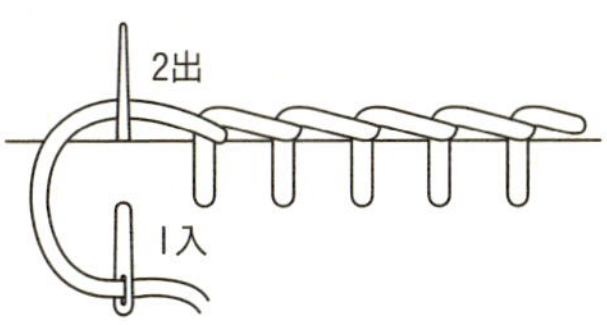

page18 白い花のショール

[糸] ハマナカ ソノモノ アルパカウール《並太》 生成り（61）365g
[用具] 8号輪針（80cm）、8号2本棒針 ※輪針で往復編みをする
[ゲージ] 模様編み 20目29段が10cm四方
[サイズ] 幅188.5cm、長さ61cm
[編み方] 糸は1本どりで編みます。

本体は指に糸をかける方法で314目作り目し、8号輪針でガーター編みを9段編み、10段めで329目に増します。続けて、模様編みを両端で減らしながら158段編みます。編終りは伏止めをします。
縁編みは同様に2目作り目し、8号2本針で図のように編みます。本体と縁編みをすくいとじにします。仕上げに、アイロン台に広げてピンを打ち、スチームアイロンを当てて整えます。

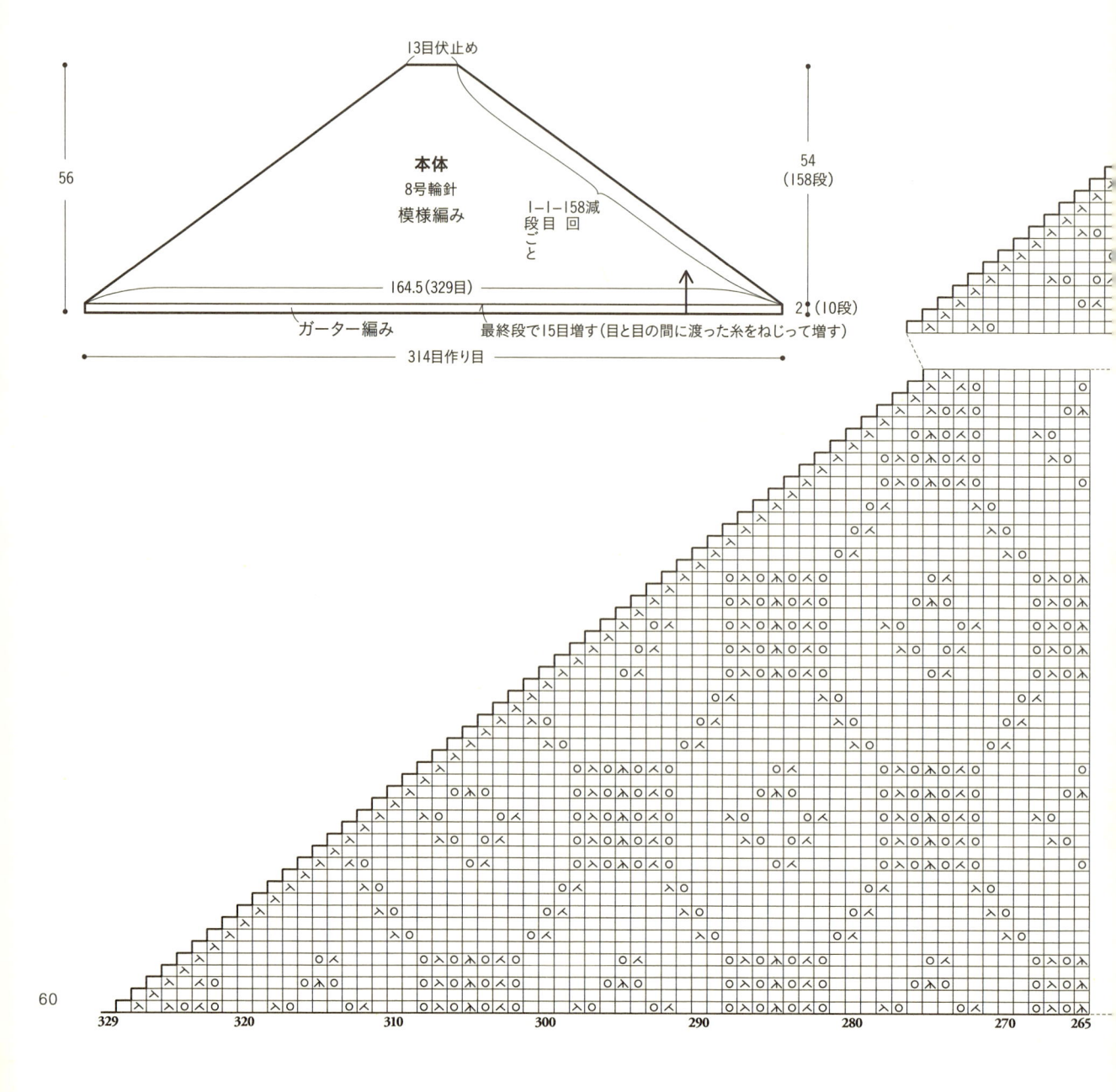

本体の模様編みの編み方

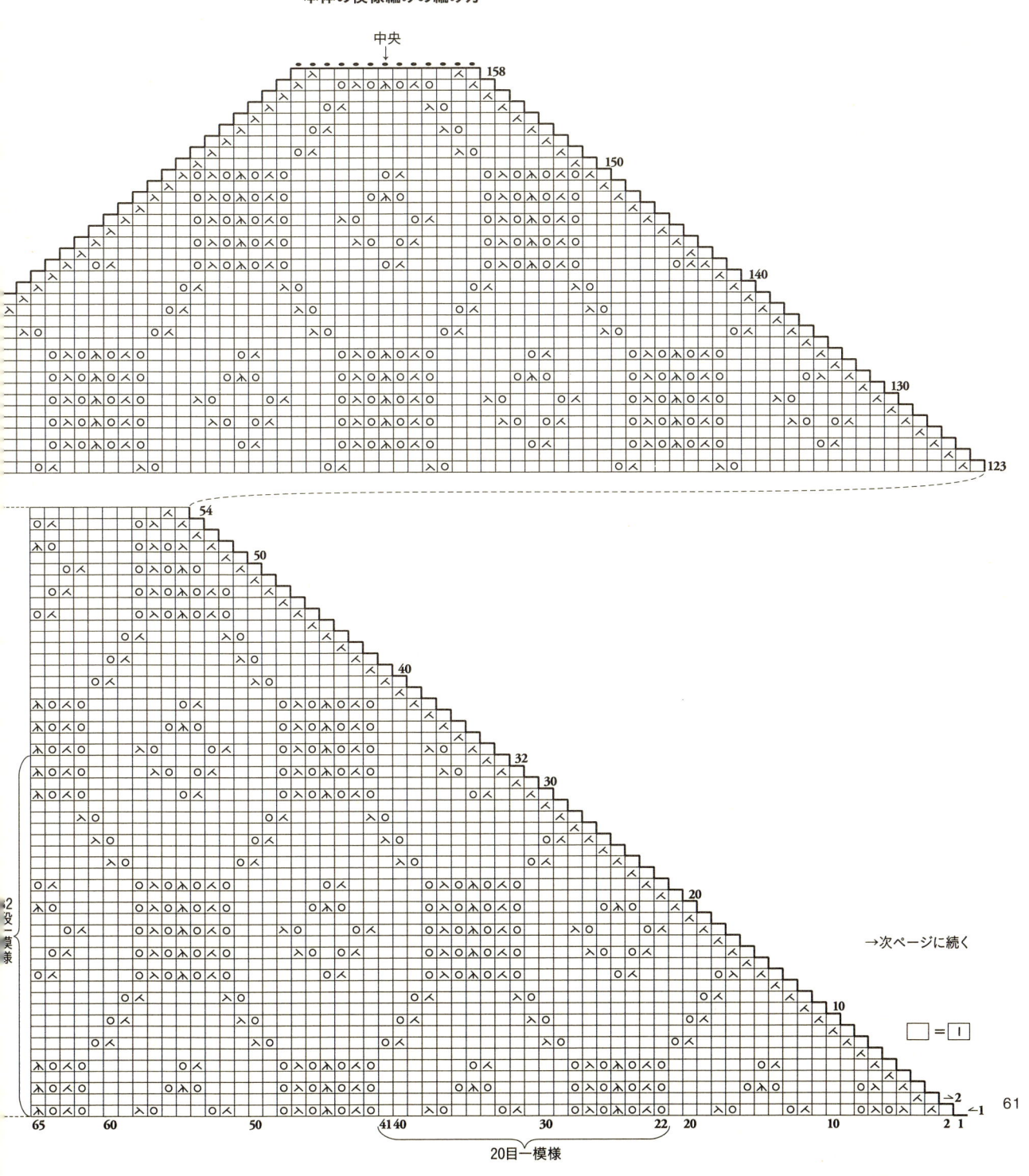

縁編み
8号2本針

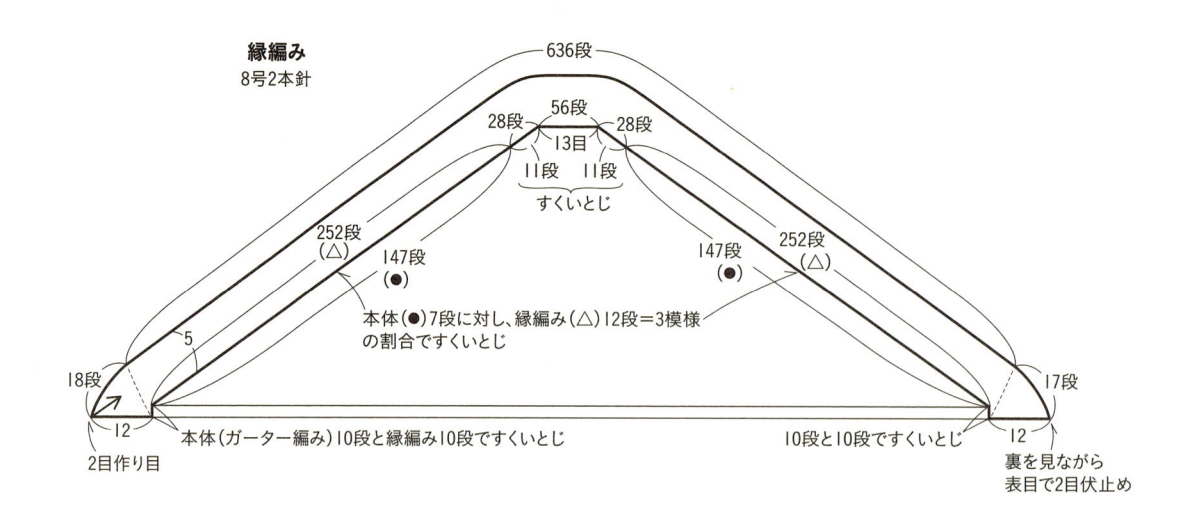

- 636段
- 56段
- 28段 / 28段
- 13目
- 11段 / 11段
- すくいとじ
- 252段（△）
- 147段（●）
- 252段（△）
- 147段（●）
- 本体（●）7段に対し、縁編み（△）12段＝3模様の割合ですくいとじ
- 18段
- 12
- 2目作り目
- 本体（ガーター編み）10段と縁編み10段ですくいとじ
- 10段と10段ですくいとじ
- 17段
- 12
- 裏を見ながら表目で2目伏止め
- 5

縁編みの編み方

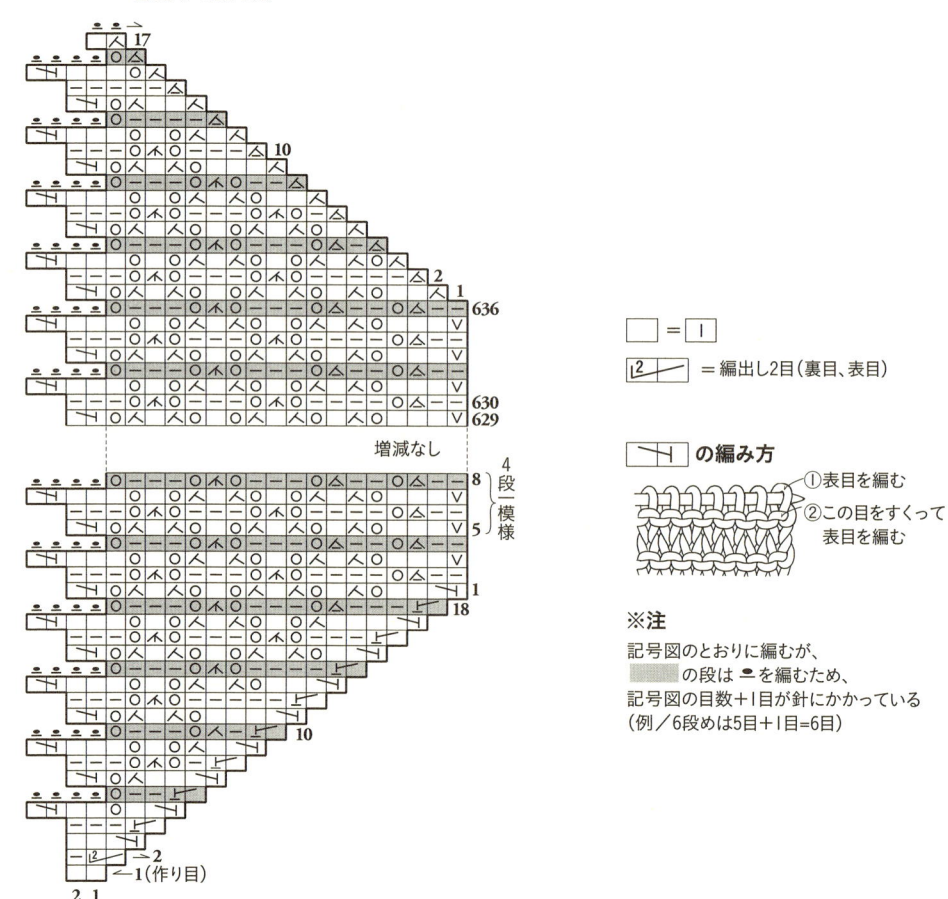

- 17
- 10
- 2 / 1
- 636
- 630 / 629
- 増減なし
- 4段一模様
- 8 / 5 / 1
- 18
- 10
- 2
- 1（作り目）
- 2 1

□ = |

|2/ = 編出し2目（裏目、表目）

|‾\ の編み方
① 表目を編む
② この目をすくって表目を編む

※注
記号図のとおりに編むが、
▨ の段は ‐ を編むため、
記号図の目数＋1目が針にかかっている
（例／6段めは5目＋1目＝6目）

page 16 コクーンマフラー

[糸]　リッチモア カシミヤメリノ　ライトグレー（1）320g
[用具]　15号2本棒針
[ゲージ]　模様編み 19.5目23段が10cm四方
[サイズ]　幅26cm、長さ211cm
[編み方]　糸は1本どりで編みます。
指に糸をかける方法で51目作り目し、模様編み（p.34参照）を485段編みます。編終りは前段と同じ記号で55目伏止めをします。

模様編みの記号図
→p.34「繭玉のステッチ」にプロセス写真解説あり

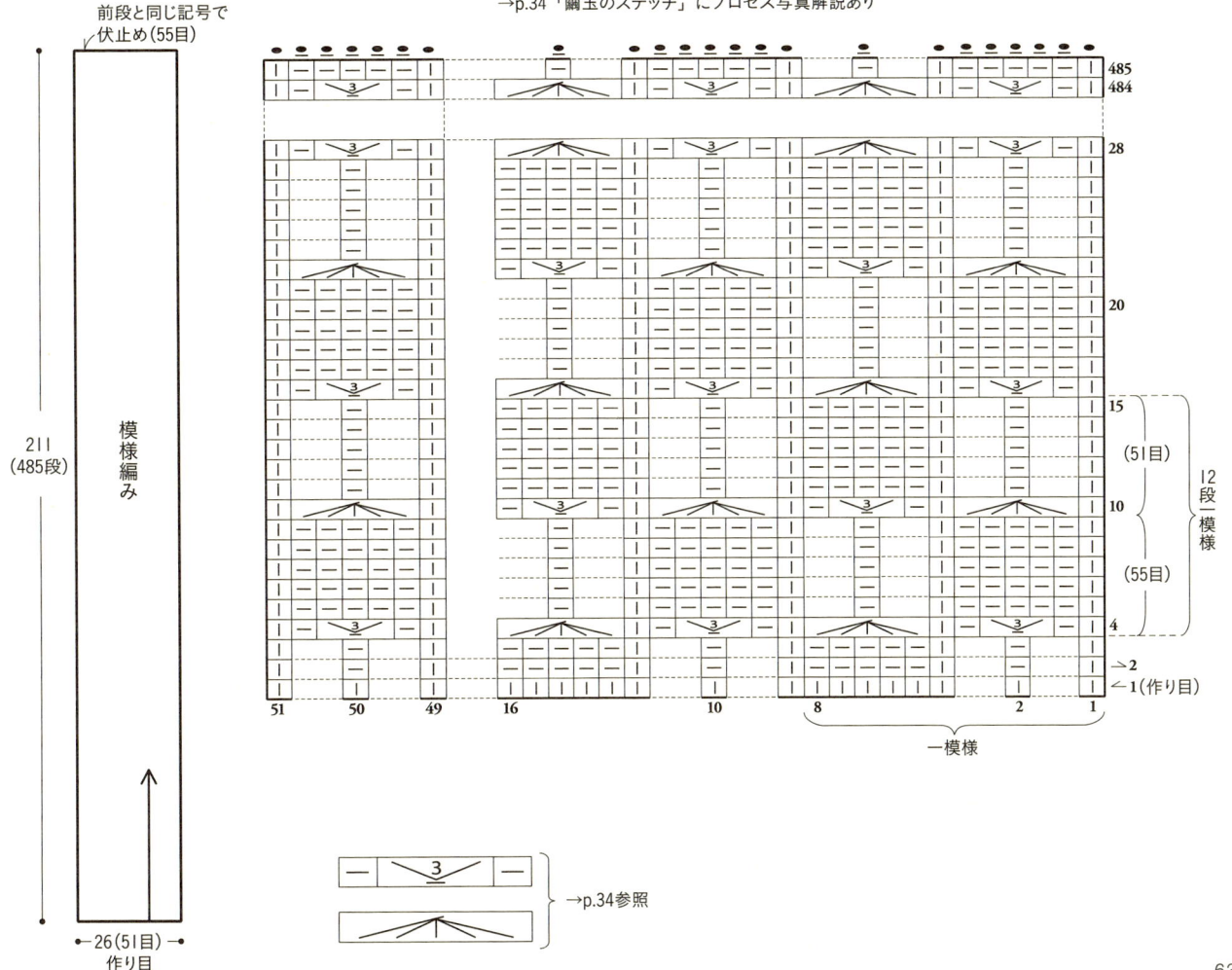

page20,21 バニラアイス色の帽子、ニンテンドーの帽子

p.20をA、p.21をBとします。
[糸]　　リッチモア パーセント
　　　　A アイボリー（3）80g、濃紺（47）35g
　　　　B 黒（90）70g、トルコブルー（34）25g、オレンジ色（117）15g、グレー（96）15g、黄色（101）5g
[用具]　5号4本棒針
[ゲージ]　変リゴム編み　35目36段が10cm四方　メリヤス編みの編込み模様　32目31段が10cm四方
[サイズ]　頭回り52.5cm、深さ26cm
[編み方]　糸は1本どりで、指定の配色で編みます。

指に糸をかける方法で154目作り目して輪にし、変リゴム編みを編みます。168目に増し、メリヤス編みの編込み模様を編みます。トップは図のように減らします。残った56目に糸を1目おきに2周して絞ります。ポンポンを作ってトップにつけます。

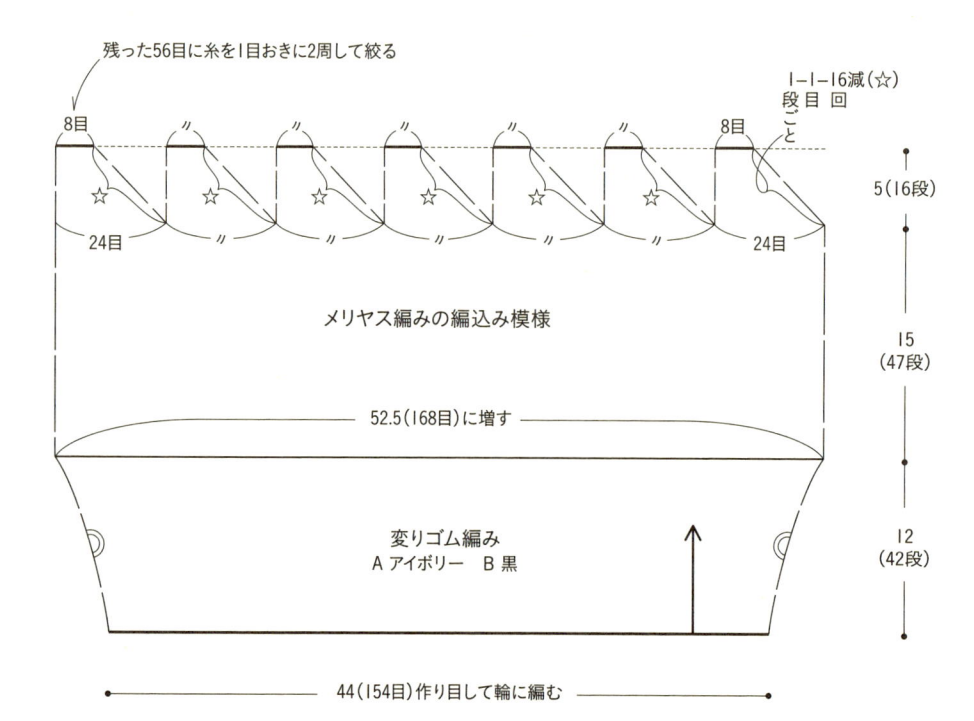

配色表

	A	B
▲	濃紺	黒
▨	濃紺	オレンジ色
✕	濃紺	グレー
●	濃紺	トルコブルー
▩	濃紺	黄色
□	アイボリー	黒

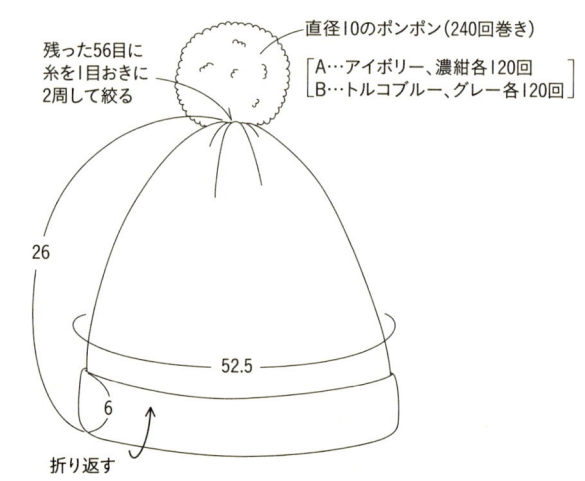

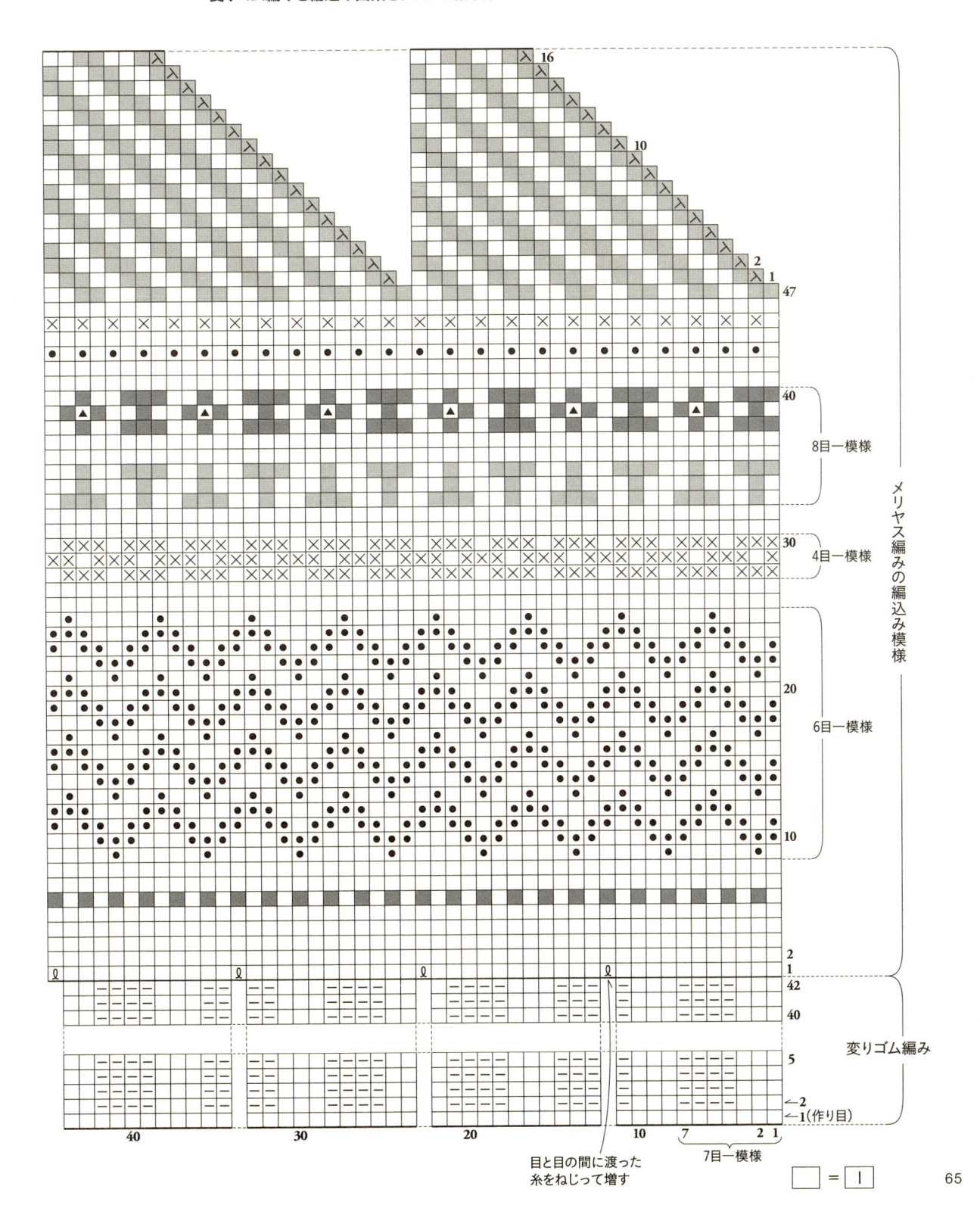

変りゴム編みと編込み図案とトップの減し方

8目一模様
4目一模様
6目一模様

メリヤス編みの編込み模様

変りゴム編み

7目一模様

目と目の間に渡った糸をねじって増す

□ = |

65

page23 ねじれ手袋

- [糸] パピー ブリティッシュエロイカ オートミール（143） 100g
- [用具] 6号、7号4本棒針
- [ゲージ] 模様編みB 24目が9cm、32.5段が10cm ガーター編み 18目が9cm、32.5段が10cm
- [サイズ] てのひら回り18cm、長さ26cm
- [編み方] 糸は1本どりで編みます。

左手を編みます。指に糸をかける方法で42目作り目して輪にし、6号針で模様編みAを編みます。7号針に替えて、甲とてのひらを模様編みBとガーター編みで編みながら指定の位置で増し目をして親指のまちを編んで休み目にします。甲とてのひらを続けて輪に30段めまで編みます。続けて小指の穴をあけて4段編んで目を休めます。人さし指から中指、くすり指、小指の順にそれぞれ拾い目し、図のように減らしながら編み、残った目に糸を通して絞ります。休めておいた親指のまちから目を拾い、親指を同様に編みます。右手は対称に編みます。

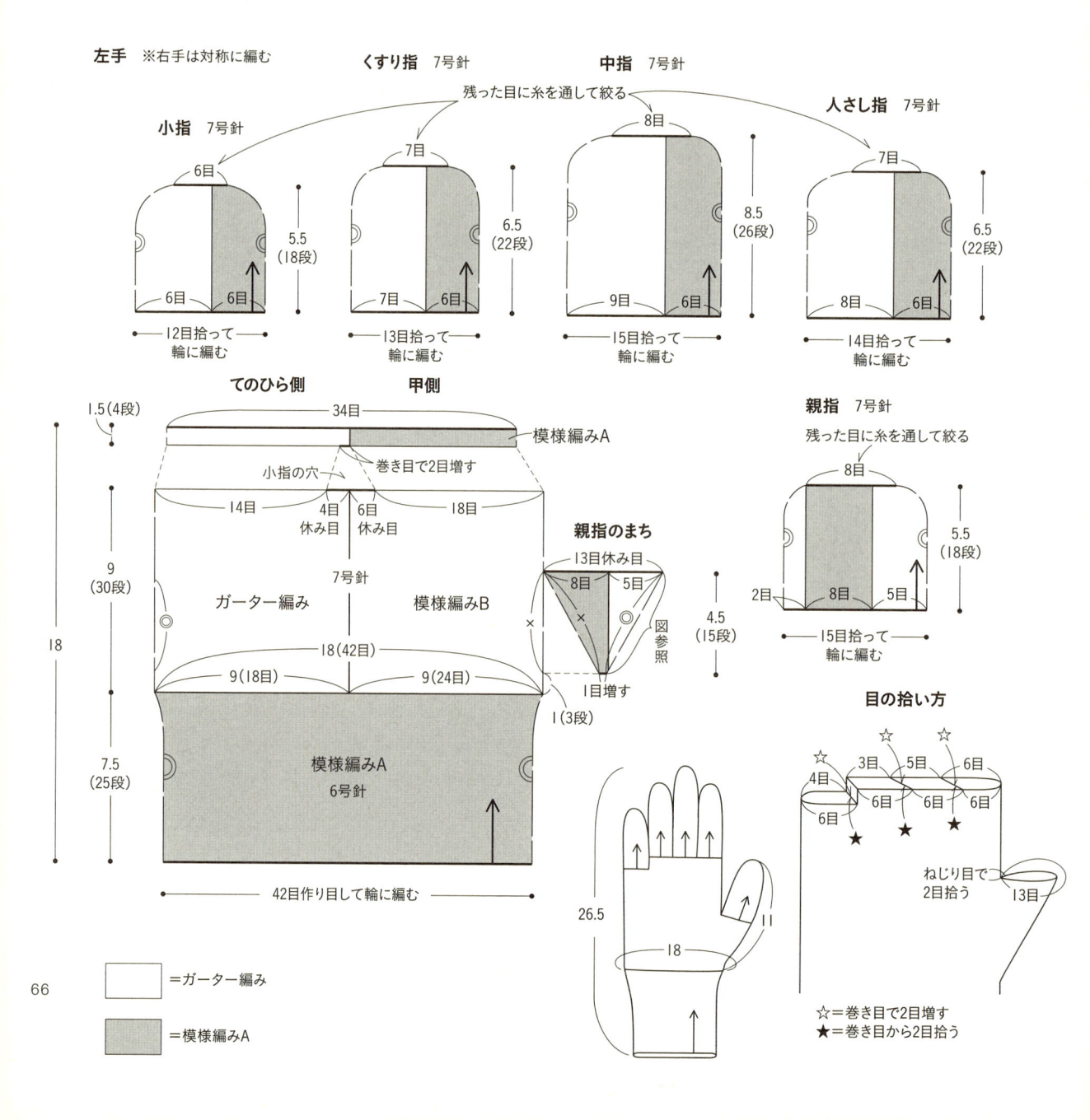

67

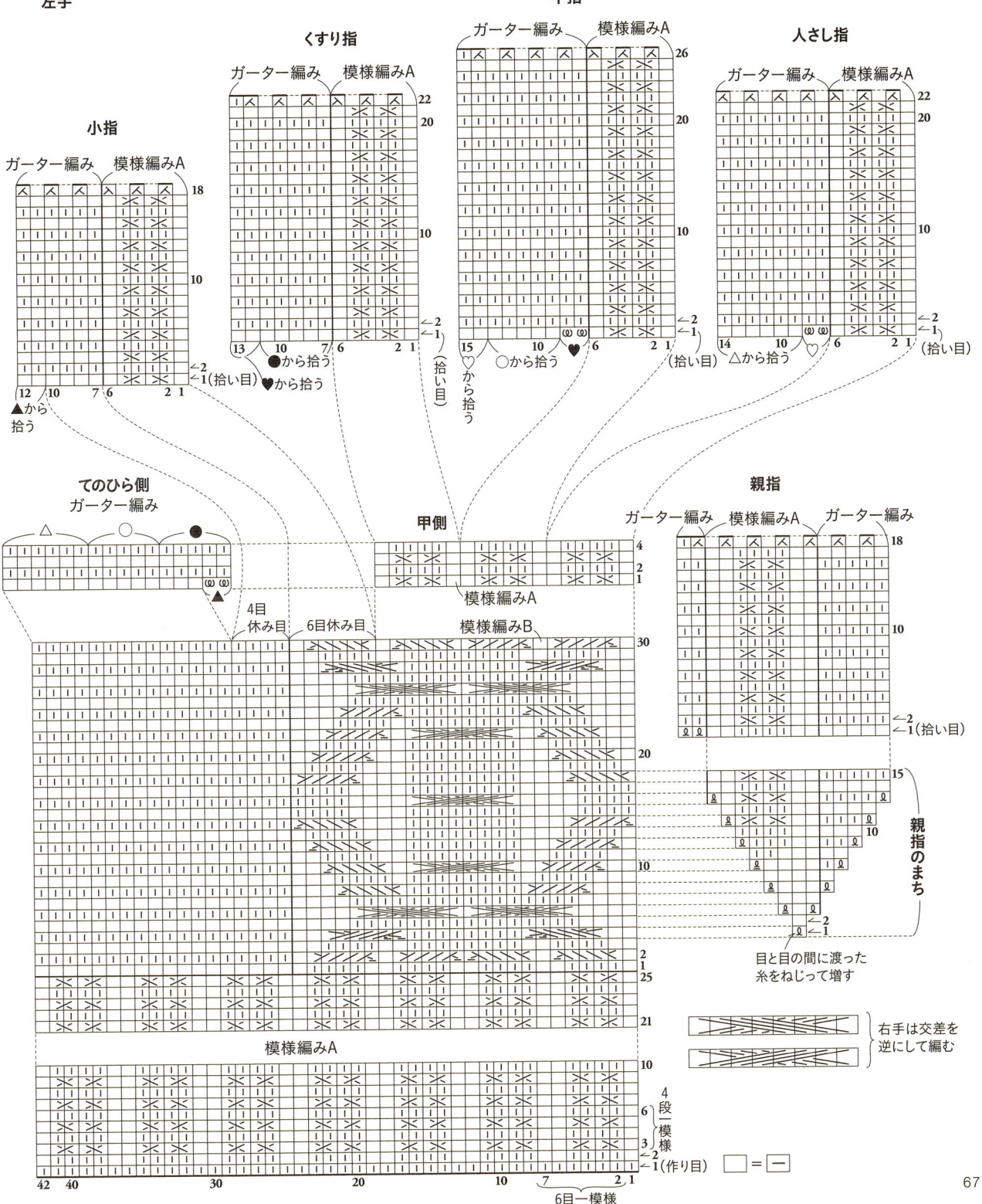

page24 黒と白のカーディガン

- [糸] パピー ミニスポーツ 黒（432）370g、生成り（700）150g
- [用具] 10号、12号輪針（80cm）、10号4本棒針 ※輪針で往復編みをする
- [その他] 直径3.8cmのボタン5個
- [ゲージ] メリヤス編み 19目21段が10cm四方 メリヤス編みの編込み模様 19目20段が10cm四方
- [サイズ] 胸回り88cm、着丈（肩から）50cm
- [編み方] 糸は1本どりで、指定以外は黒で編みます。

前後身頃は指に糸をかける方法で作り目し、10号輪針で変りゴム編みを編みます。12号針に替え、メリヤス編みとメリヤス編みの編込み模様Aで編み、目を休めます。袖は、同様に42目作り目して輪にし、10号4本棒針で変りゴム編みを編み、12号針に替え、増しながら編んで目を休めます。身頃と袖の6目をメリヤスはぎします。ヨークは12号針で前後身頃と袖から目を拾って、メリヤス編みの編込み模様Bで減らしながら編み、10号輪針に替え、衿ぐりに変りゴム編みを編みます。前立ては、10号輪針で身頃とヨークと衿ぐりから拾って変りゴム編みで編みますが、右前立てにはボタン穴をあけます。ボタンをつけます。

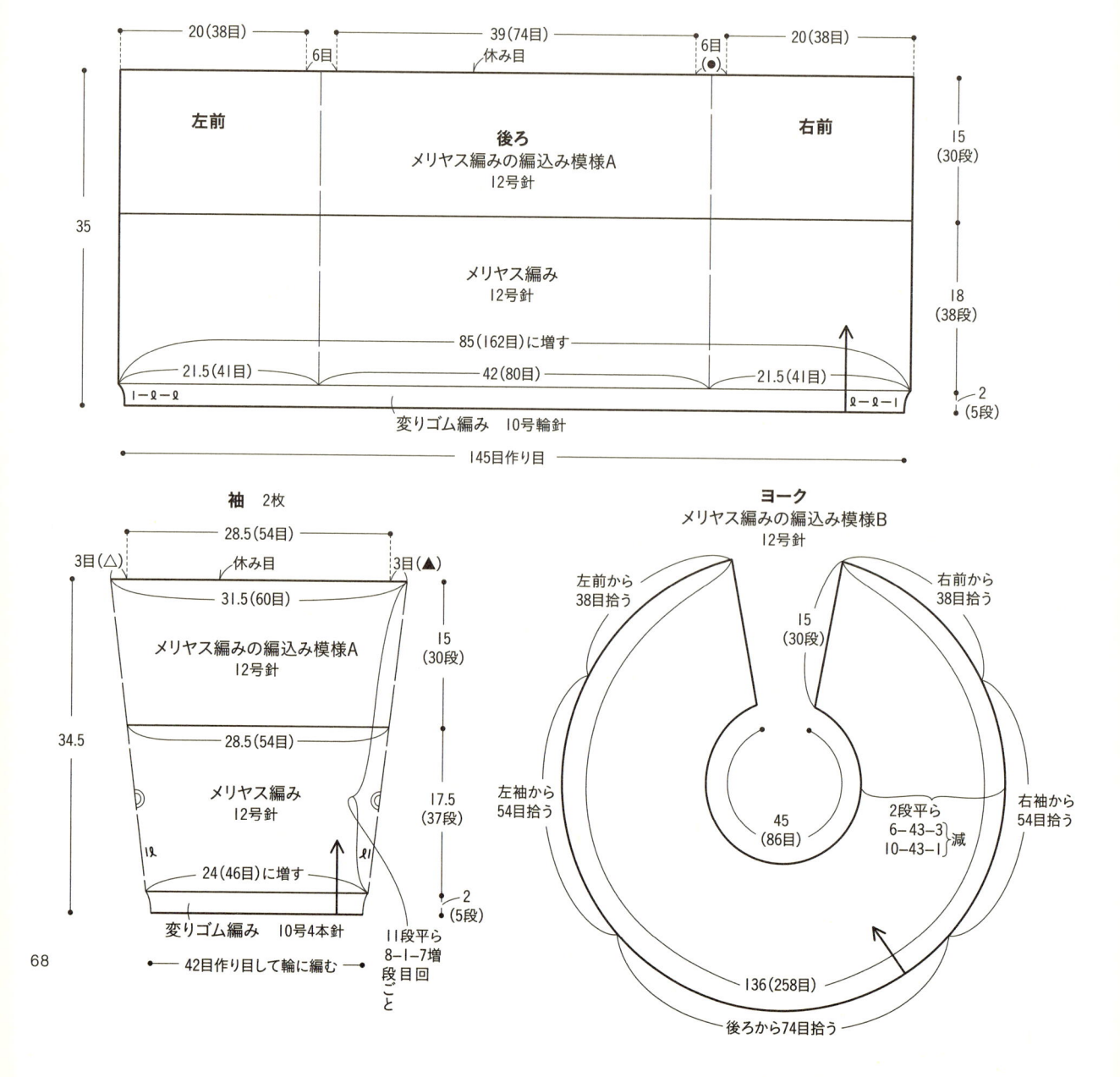

編込み図案A

裾の変リゴム編みの記号図

袖口の変リゴム編みの記号図

衿ぐりの変リゴム編みの記号図

6目一模様
左袖　右袖　右前

編込み図案B

2目一模様
3目一模様
4目一模様
5目一模様
6目一模様

□ = |
□ = 黒
■ = 白

衿ぐり、前立て
変リゴム編み 10号輪針

前立てとボタン穴の編み方

15目　3目　15目　3目　6目

袖　ヨーク　右前

6目ずつ（●と▲、△）をメリヤスはぎ
65目拾う
6目
15目 伏前段と同じ記号で止め
87目拾う
3目のボタン穴
15目
6目
3目（9段）

page26 透しベリーのポンチョ

[糸] パピー ミニスポーツ 紺（429）800g
[用具] 12号輪針（80cm）、12号2本棒針（玉つきではないもの）、4/0号かぎ針 ※輪針で往復編みをする
[ゲージ] 模様編みA 19.5目26段が10cm四方 模様編みB 20目22段が10cm四方
[サイズ] 着丈52cm
[編み方] 糸は1本どりで編みます。

本体は指に糸をかける方法で189目作り目し、12号輪針でガーター編みと模様編みAを97段編み、指定の位置で増し目をします。続けて、ガーター編みと模様編みB（p.35参照）を32段編み、衿あきの3段は左右に分けて編みます。右前76目、衿あき41目作り目、左前76目を続けて32段編みます。指定の位置で減し目をし、ガーター編みと模様編みAを95段編み、編終りは模様が続くように伏止めをします。
4/0号針で衿ぐりに細編みを1段編みます。ひもは同様に作り目して12号2本棒針で輪に編み、編終りは中上3目一度をして絞ります。本体の指定の位置につけます。

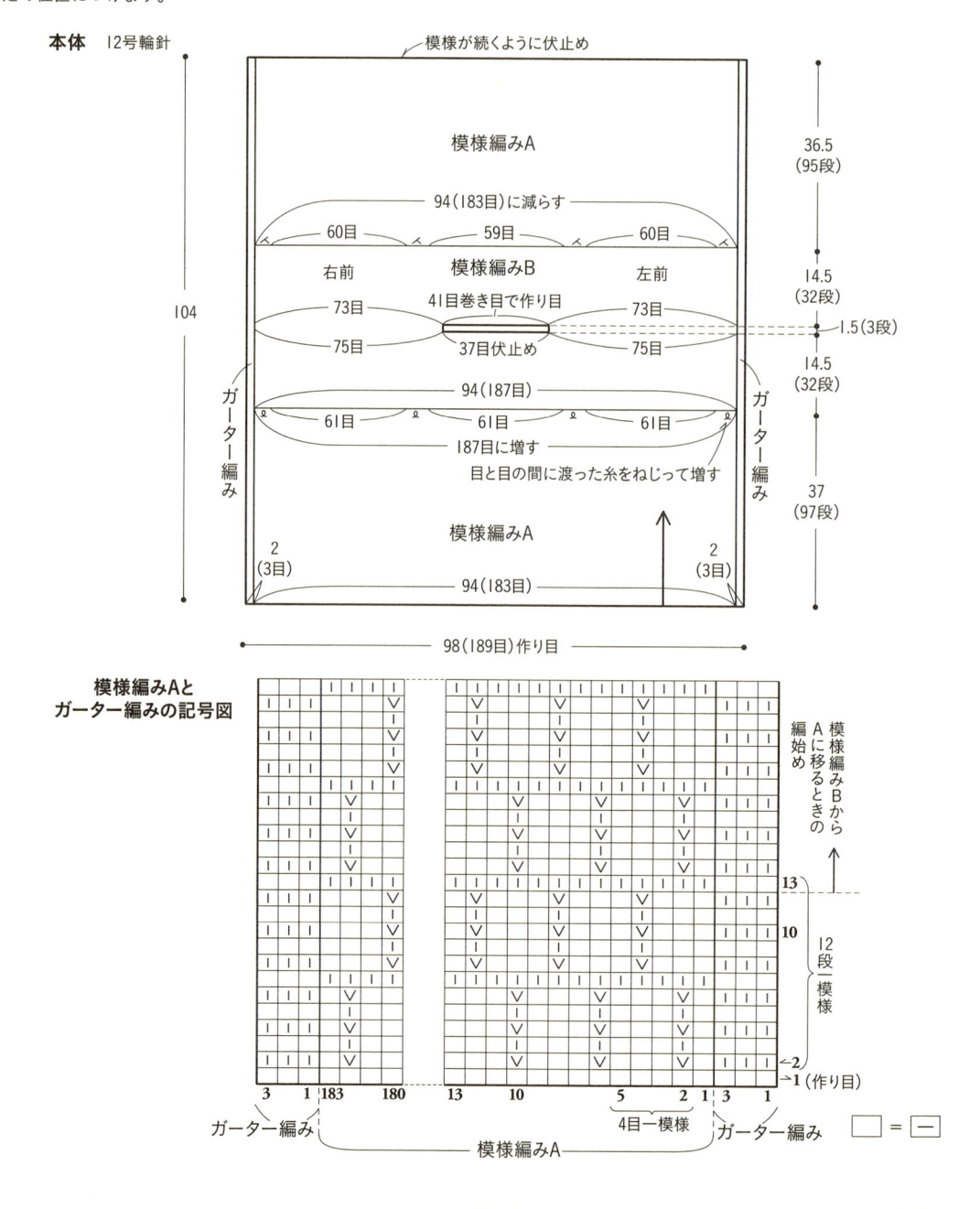

模様編みBの記号図
→p.35「箱入りベリーのステッチ」にプロセス写真解説あり

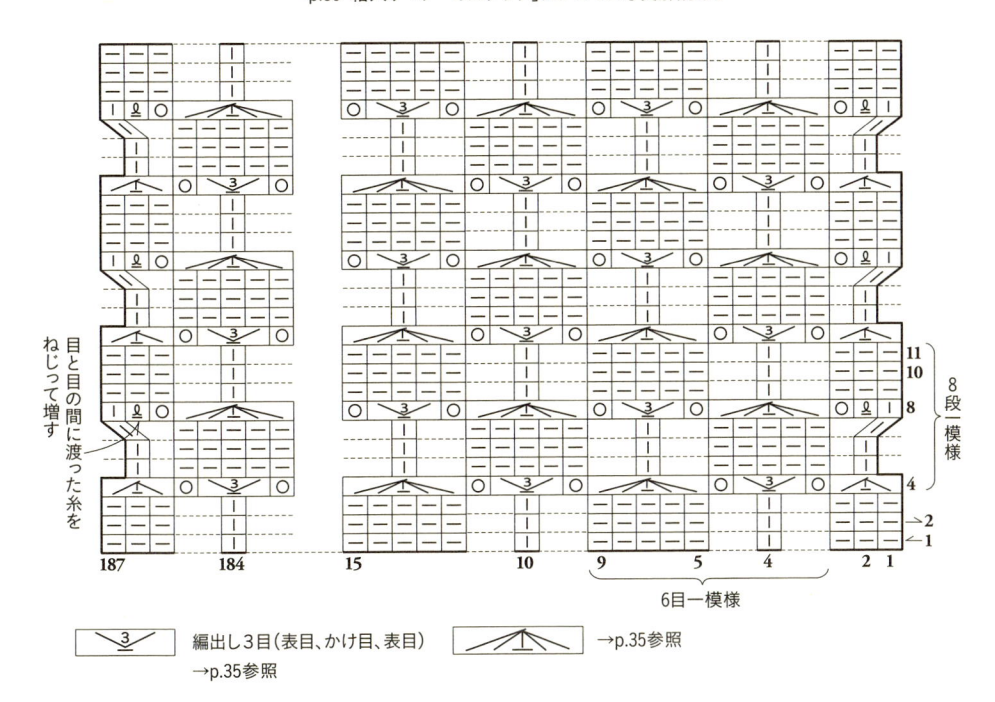

目と目の間に渡った糸をねじって増す

8段1模様
6目1模様

⊻3	編出し3目（表目、かけ目、表目） →p.35参照
∧	→p.35参照

衿ぐり
細編み　4/0号針

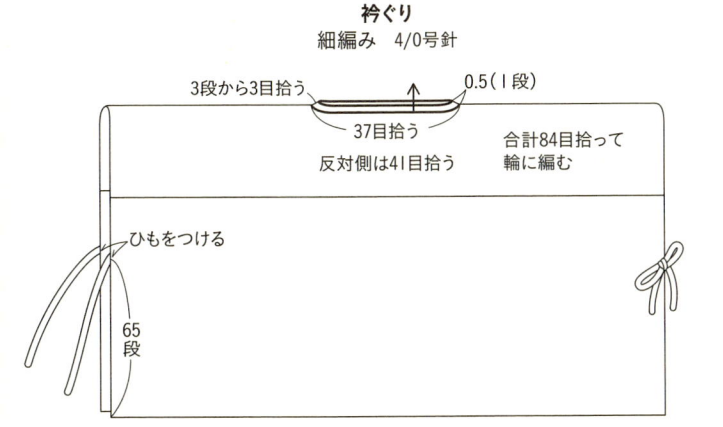

3段から3目拾う　0.5（1段）
37目拾う
合計84目拾って輪に編む
反対側は41目拾う

ひもをつける
65段

ひも　4本
メリヤス編み
12号2本針

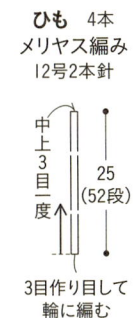

中上3目一度
25（52段）
3目作り目して輪に編む

ひも（2本針の輪編み）の編み方
① 3目作り目する
② 表目を3目編む
③ ②の目のかかっている右針を左手に持ち替え、表を見ながら、右端の目から表目を3目編む
④ ②〜③を繰り返す

衿あきと衿ぐりの編み方

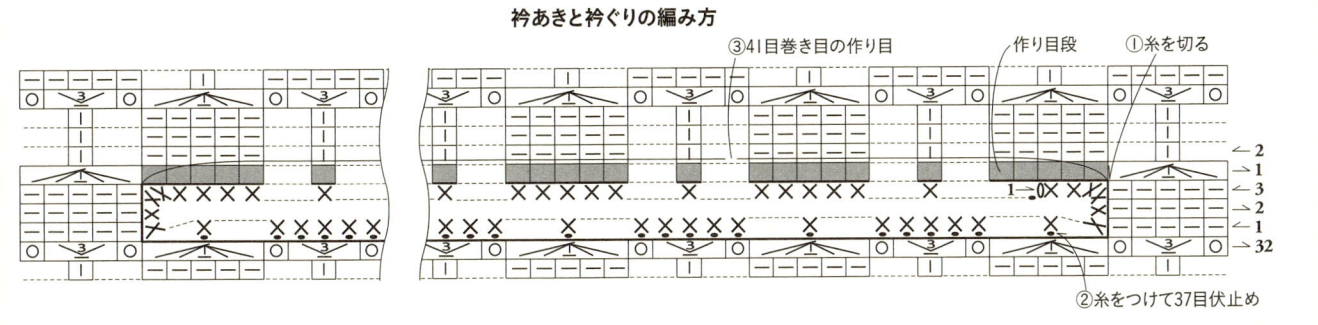

③41目巻き目の作り目　　作り目段　　①糸を切る

②糸をつけて37目伏止め

page22 ケーブルのドルマンセーター

- [糸] パピー ソフトドネガル ライトグレー(5229) 540g
- [用具] 10号2本棒針
- [ゲージ] 裏メリヤス編み 18目24段が10cm四方
- [サイズ] 胸囲86cm、着丈55.5cm、ゆき丈58cm
- [編み方] 糸は1本どりで編みます。

後ろと前は、それぞれ指に糸をかける方法で作り目し、ねじり1目ゴム編みを増減なく編みます。続けて、裏メリヤス編み、模様編み、ねじり1目ゴム編みで増減しながら編み、ねじりゴム編みを増減なく編みます。編終りは前段と同じ記号で伏止めをします。裾にねじり1目ゴム編みを増減なく編み、編終りは前段と同じ記号で伏止めをします。肩をすくいとじにします。袖下を裾あき止りまですくいとじにします。

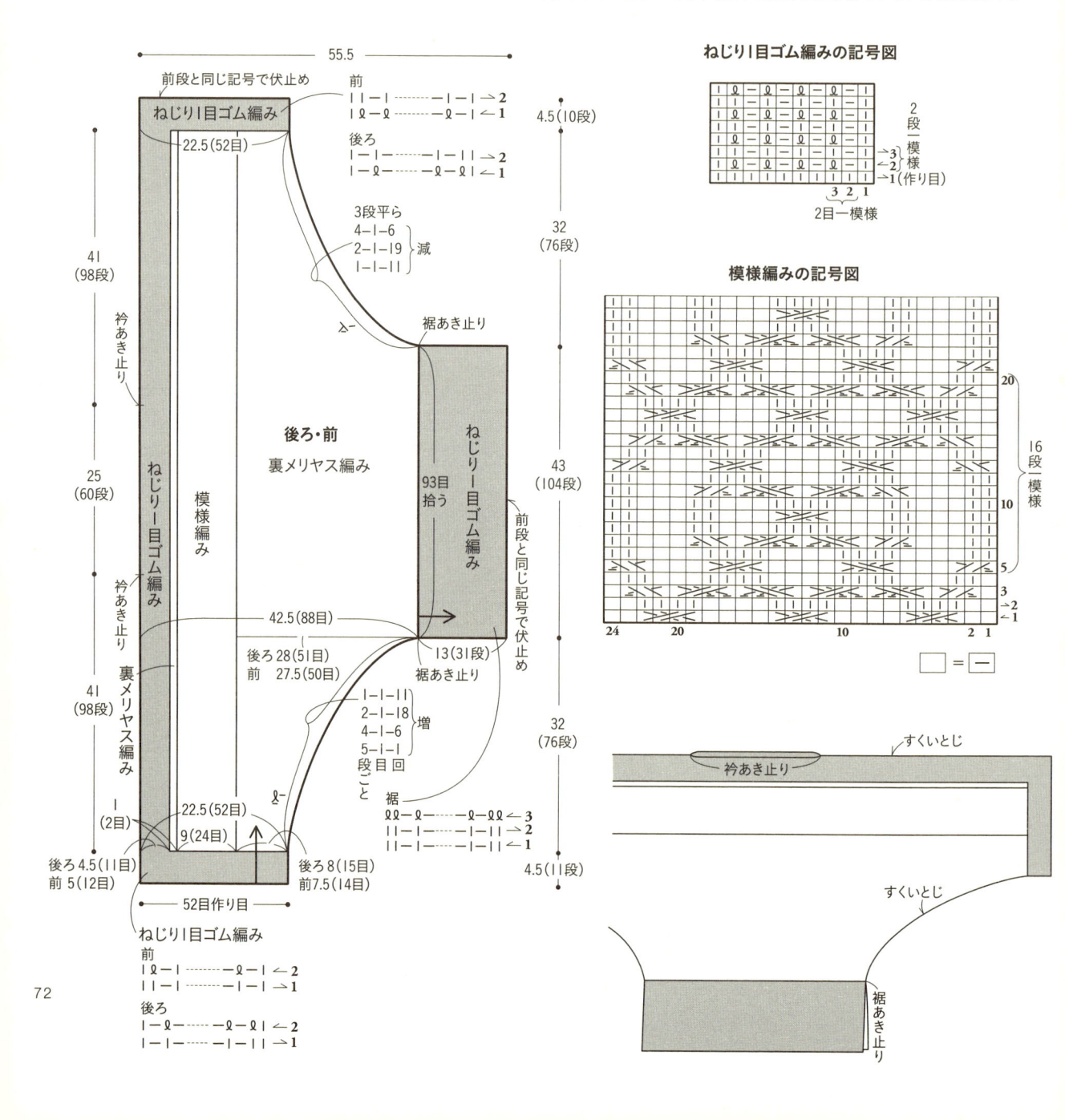

page28,29 ヘラジカのミトン、ガチョウのミトン

[糸] ハマナカ 純毛中細
p.28 ヘラジカ／黒（30）35g、白（1）15g　p.29 ガチョウ／黒（30）35g、赤（10）20g
[用具] 2号4本棒針
[ゲージ] メリヤス編みの編込み模様　36目40段が10cm四方
[サイズ] てのひら回り20cm、長さ24cm
[編み方] 糸は1本どりで、指定の配色で編みます。

左手を編みます。指に糸をかける方法で60目作り目して輪にし、メリヤス編みを編みますが、13段めでかけ目と左上2目一度を繰り返します。72目に増し、メリヤス編みの編込み模様A、Bを編みますが、親指穴の下側は別糸を通して目を休め、上側の目を作ります（p.89参照）。メリヤス編みの編込み模様Cで指先を図のように減らし、残った4目に糸を通して絞ります。別糸を抜いて目を拾い、親指をメリヤス編みの編込み模様Dで編みます。右手は対称に編みます。折返し分を内側に折ってまつります。

ヘラジカ、ガチョウ共通

左手
※右手は対称に編む

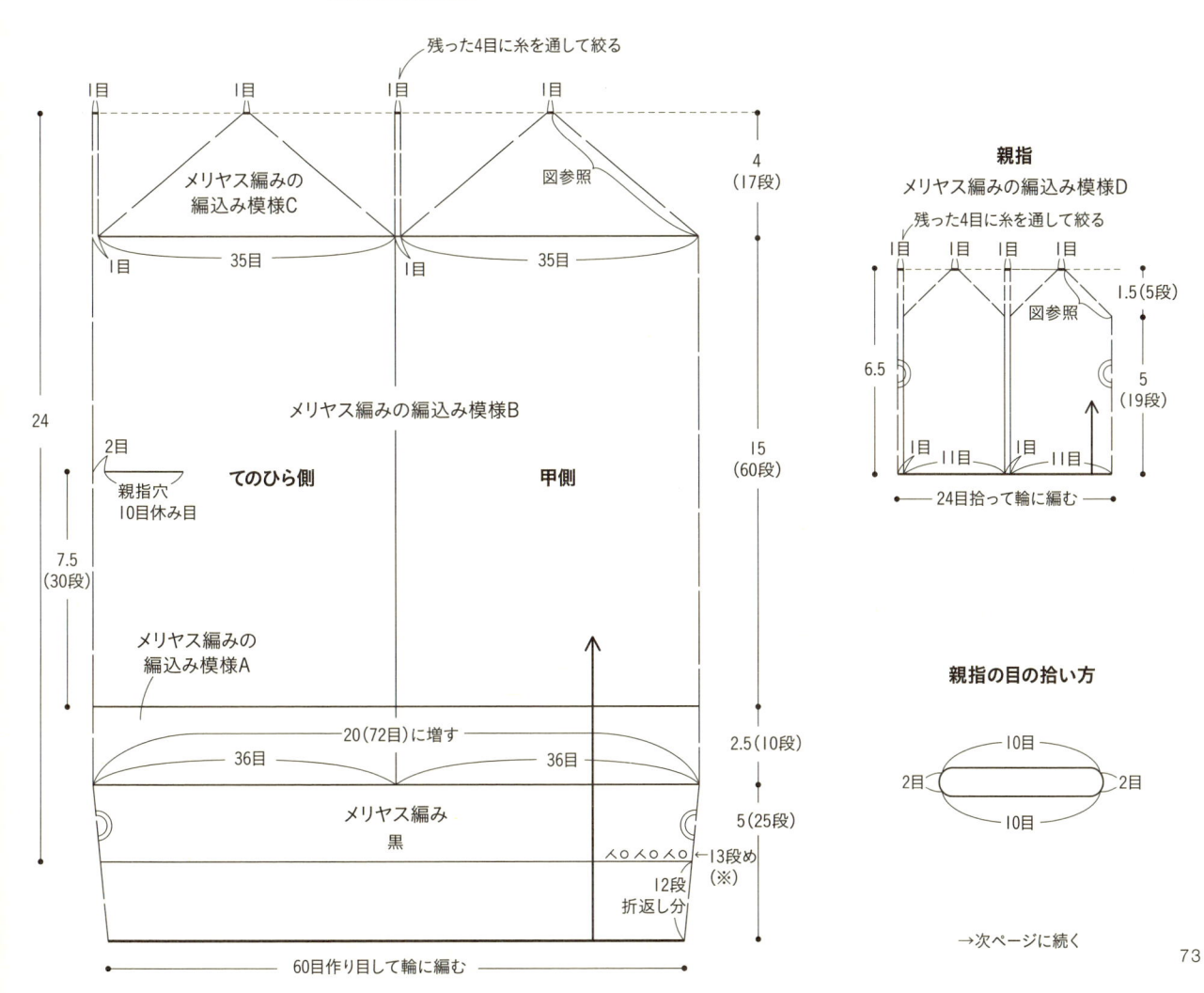

親指
メリヤス編みの編込み模様D

親指の目の拾い方

→次ページに続く

ヘラジカ　てのひら側　左手　甲側

メリヤス編みの編込み模様C

メリヤス編みの編込み模様B
15段1模様

メリヤス編みの編込み模様A

メリヤス編み

親指穴

親指
メリヤス編みの編込み模様D

□ = |　□ 黒　■ 白

[裏に渡る糸が長くなるとき]
裏に糸が4〜5目以上渡るときに、渡り糸をとめる方法です。

1 裏に渡る糸（B糸）／編む糸（A糸）

2 B糸／A糸

編む糸（A糸）を上にして編む

[裏に渡る糸が長くなるとき]参照

目と目の間に渡った糸をねじって増す

ガチョウ　　　てのひら側　　　左手　　　甲側

メリヤス編みの編込み模様C

メリヤス編みの編込み模様B

15段模様

メリヤス編みの編込み模様A

メリヤス編み

親指穴

[裏に渡る糸が長くなるとき]参照　　目と目の間に渡った糸をねじって増す

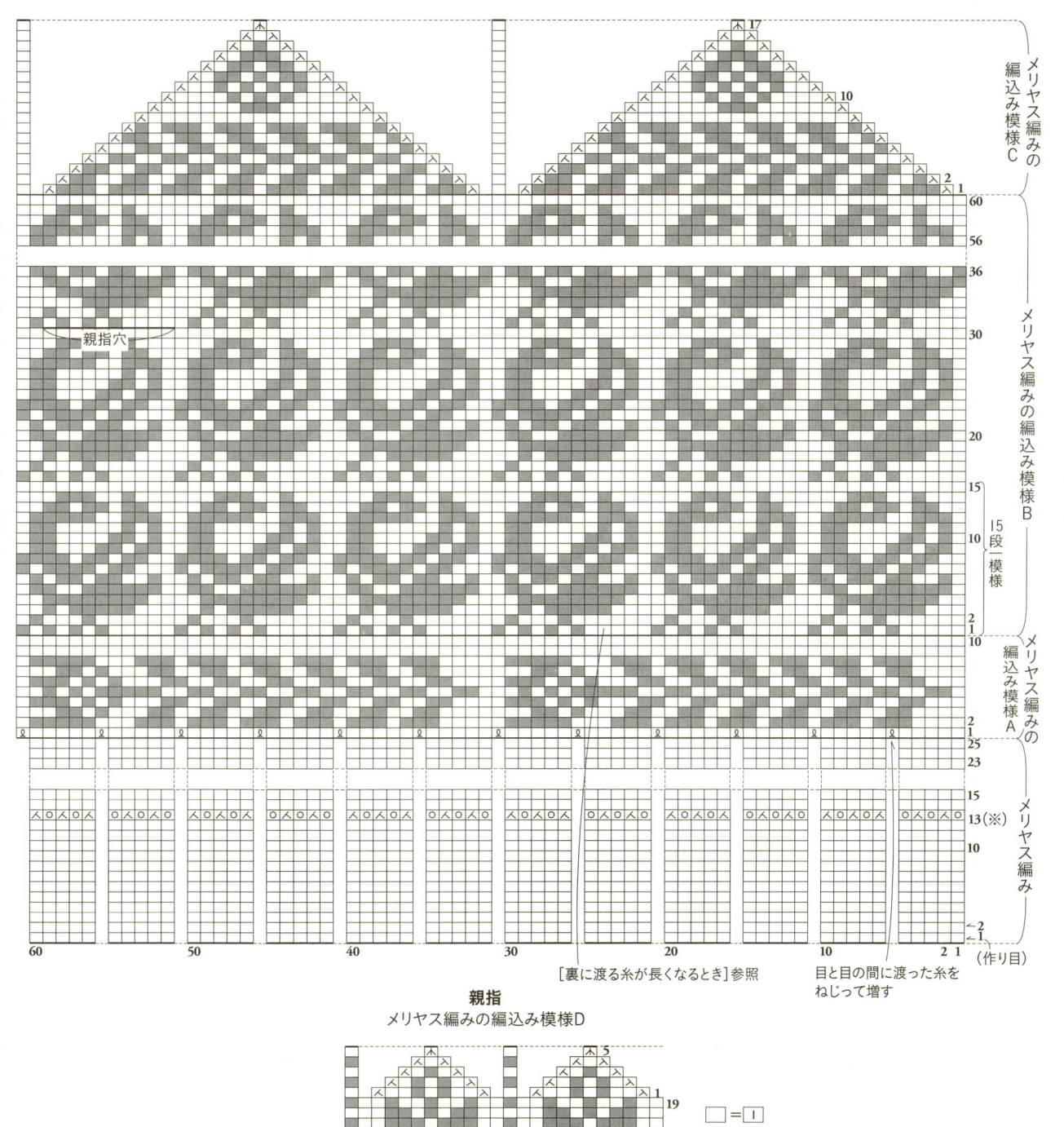

親指
メリヤス編みの編込み模様D

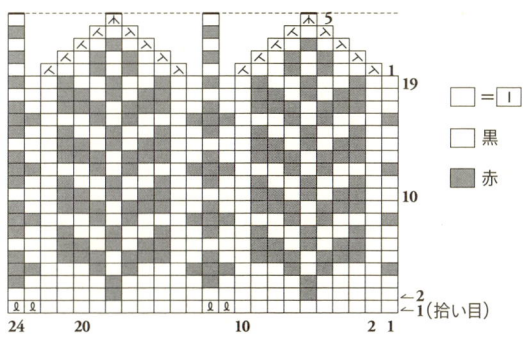

□ = |
□ 黒
■ 赤

3
A糸
B糸

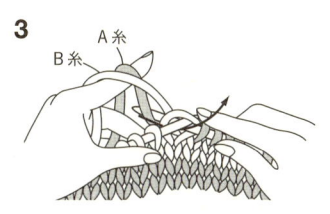

2〜3目ごとに、裏に渡る糸（B糸）を上にしてA糸で編む

75

page32 モヘアのトリニティカーディガン

[糸] パピー キッドモヘアファイン
　　　オフホワイト（2）385g、グレー（15）
　　　70g、ミントグリーン（48）65g
[用具] 7mm2本棒針または輪針（80cm）
[その他] 直径2.5cmのボタン3個
[ゲージ] 模様編み　17.5目が10cm、11段が6cm
　　　　 裏メリヤス編みの縞模様
　　　　 14目が10cm、12段が7cm
[サイズ] 胸回り90cm、着丈62cm、ゆき丈68.5cm
[編み方] 糸は6本どりで編みます。

ポケット裏は指に糸をかける方法で15目作り目し、裏メリヤス編みで編み、編終りは目を休めます。身頃は同様に150目作り目し、右前、後ろ、左前を続けて模様編み（p.78参照）と裏メリヤス編みの縞模様で編みますが、ポケット口は伏止めをし、次の段はポケット裏の休み目から拾って編みます。袖は同様に作り目し、模様編みと裏メリヤス編みの縞模様で編みます。前立て衿は同様に作り目し、ガーター編みでボタン穴をあけながら編みます。ラグラン線を巻きかがりとすくいとじで合わせ、袖下をすくいとじにします。前立て衿を巻きかがりと目と段のはぎでつけます。ポケット裏をまつり、ボタンをつけます。

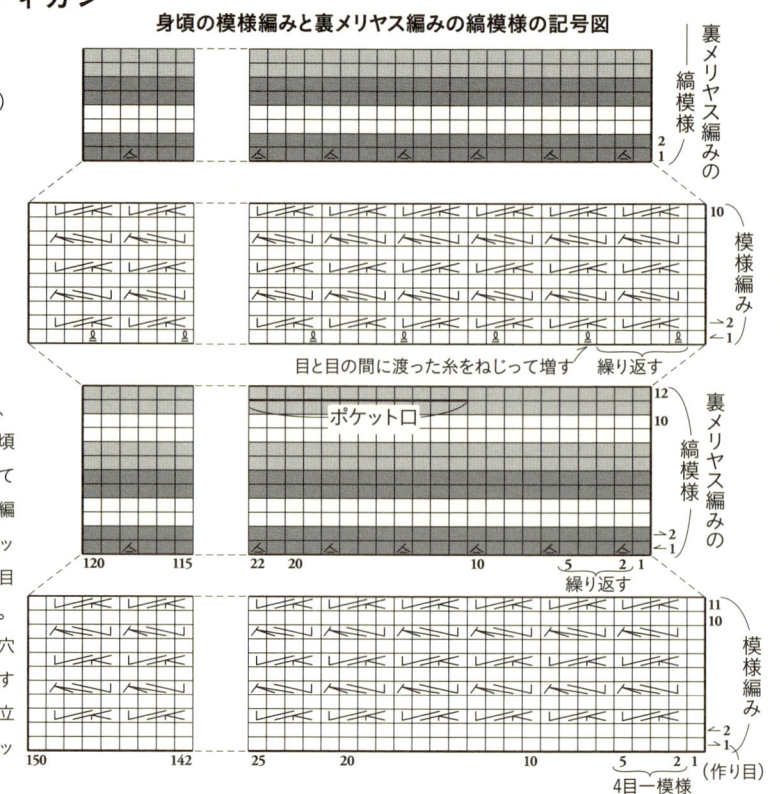

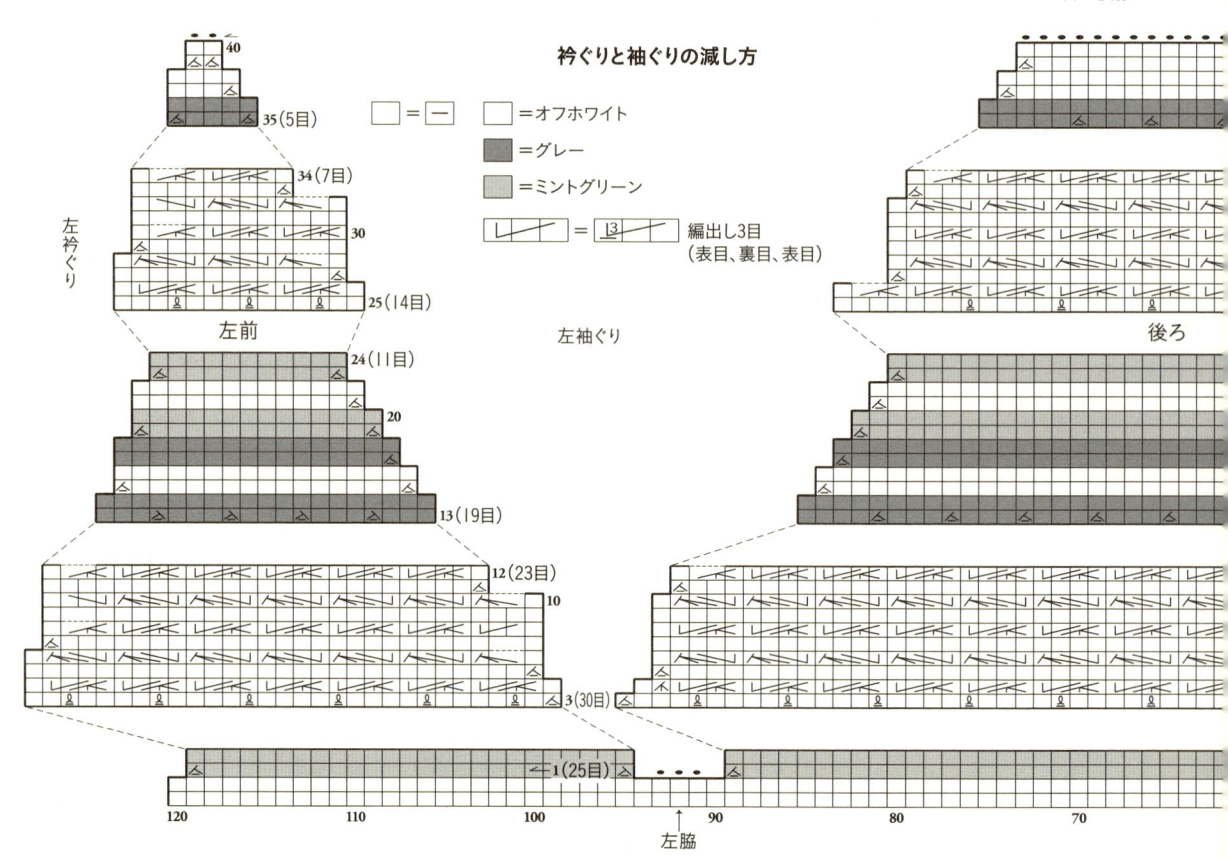

身頃の模様編みと裏メリヤス編みの縞模様の記号図

衿ぐりと袖ぐりの減し方

□ = －
□ = オフホワイト
■ = グレー
▨ = ミントグリーン

⎿／⎿ = ⎿3／⎿　編出し3目
　　　　　　（表目、裏目、表目）

身頃
※減し方は図参照

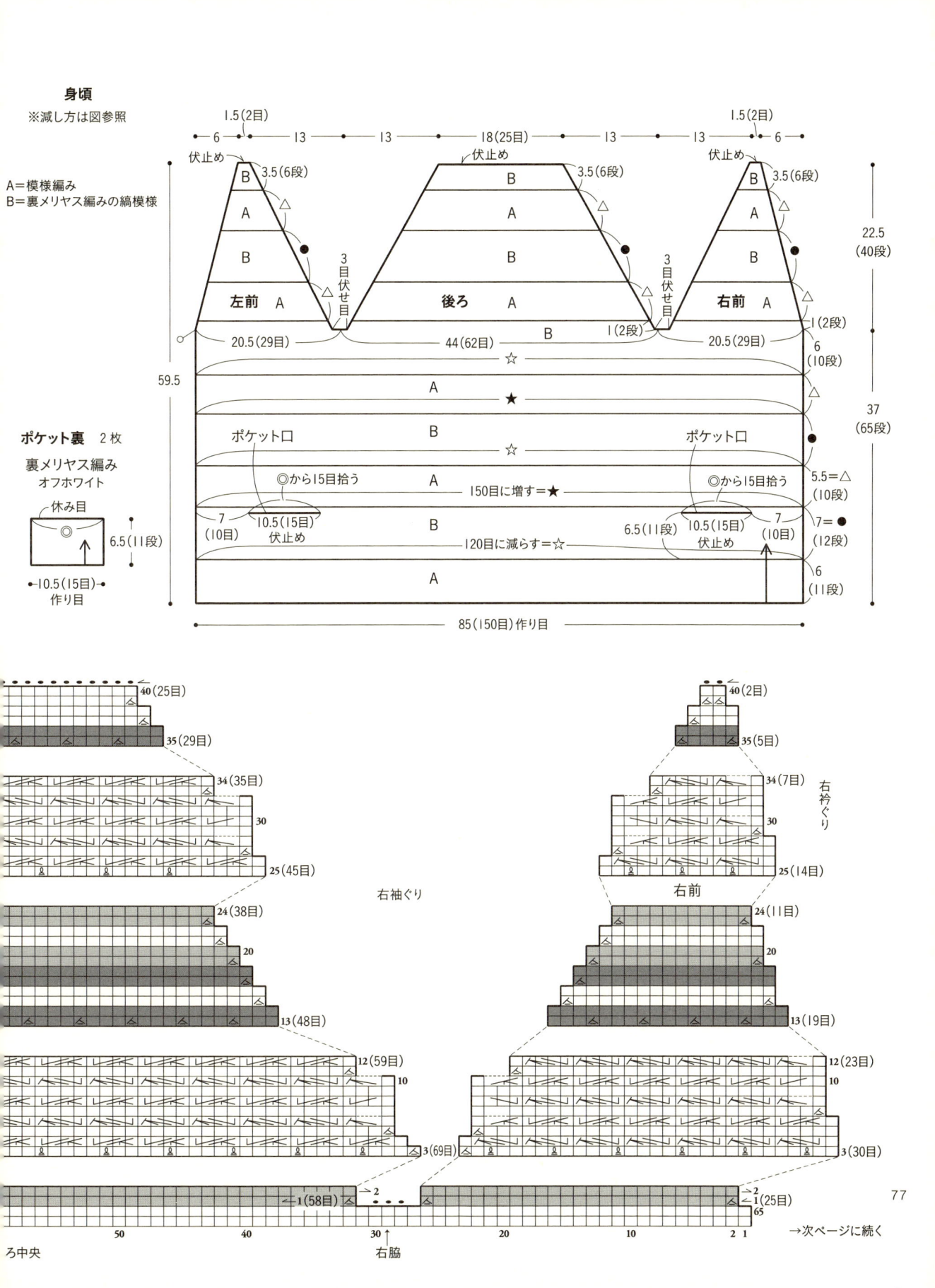

A＝模様編み
B＝裏メリヤス編みの縞模様

- 1.5(2目)
- 6
- 13
- 13
- 18(25目)
- 13
- 13
- 6
- 1.5(2目)

伏止め B 3.5(6段)
A
B
左前 A
3目伏せ目
20.5(29目)

伏止め B 3.5(6段)
A
B
後ろ A
44(62目)
1(2段)

伏止め B 3.5(6段)
A
B
右前 A
3目伏せ目
20.5(29目)
1(2段)

22.5(40段)

6(10段)

B ☆
A ★
ポケット口　　B ☆　　ポケット口
◎から15目拾う　A　150目に増す＝★　◎から15目拾う
7(10目)　10.5(15目)伏止め　6.5(11目)　10.5(15目)伏止め　7(10目)
B　120目に減らす＝☆
A

5.5＝△(10段)
7＝●(12段)
6(11段)

37(65段)

59.5

85(150目)作り目

ポケット裏 2枚
裏メリヤス編み
オフホワイト

休み目
◎
6.5(11段)
10.5(15目)
作り目

40(25目)
35(29目)
34(35目)
30
25(45目)
24(38目)
20
13(48目)
12(59目)
10
3(69目)
1(58目)

右袖ぐり

40(2目)
35(5目)
34(7目)
30
25(14目)
24(11目)
20
13(19目)
12(23目)
10
3(30目)
2
1(25目)
65

右衿ぐり
右前

50　40　30　20　10　2 1
ろ中央　　　右脇

→次ページに続く

袖 2枚 ※増し方、減し方は図参照

A＝模様編み
B＝裏メリヤス編みの縞模様

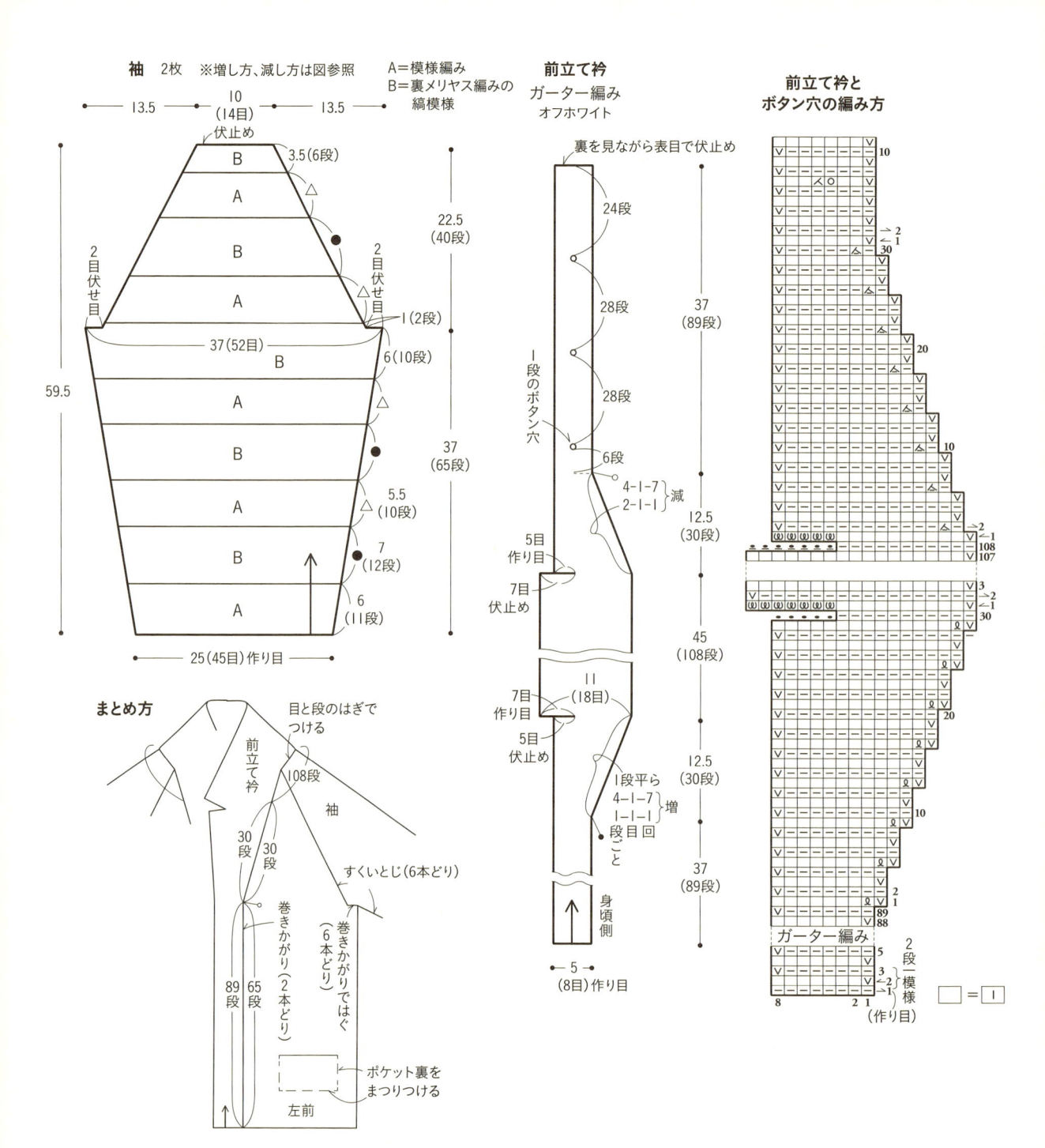

袖寸法:
- 10 (14目) 伏止め
- 13.5 / 13.5
- 3.5 (6段) B
- A
- B
- A
- 22.5 (40段)
- 2目伏せ目 / 2目伏せ目
- 1 (2段)
- 37 (52目) B
- 6 (10段)
- A
- B
- A
- 37 (65段)
- 5.5 (10段)
- B 7 (12段)
- A 6 (11段)
- 25 (45目) 作り目
- 59.5
- 2目伏せ目

前立て衿
ガーター編み
オフホワイト

- 裏を見ながら表目で伏止め
- 24段
- 28段
- 28段
- 一段のボタン穴
- 6段
- 4-1-7 / 2-1-1 減
- 12.5 (30段)
- 5目作り目
- 7目伏止め
- 45 (108段)
- 11 (18目)
- 7目作り目
- 5目伏止め
- 1段平ら / 4-1-7 / 1-1-1 増 段目ごと回
- 12.5 (30段)
- 37 (89段)
- 身頃側
- 5 (8目) 作り目
- 37 (89段)

前立て衿とボタン穴の編み方

(編み図: ガーター編み、2段一模様)

まとめ方

- 前立て衿
- 108段
- 30段 / 30段
- 袖
- 目と段のはぎでつける
- すくいとじ (6本どり)
- 巻きかがり (2本どり)
- 巻きかがりではぐ (6本どり)
- 89段 / 65段
- ポケット裏をまつりつける
- 左前

⧄の編み方

1 裏側。左針の3目に右針を入れる。

2 3目一度に裏目を編む。左上3目一度（裏目）を編んだところ。次の目に表目を編む。

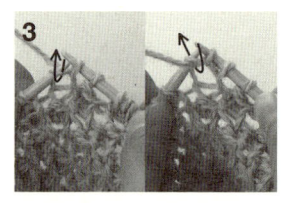

3 左針の目をかけたまま、同じ目に裏目を編む。さらに同じ目に表目を編む。

4 編出し3目が編めたところ。

袖の編み方

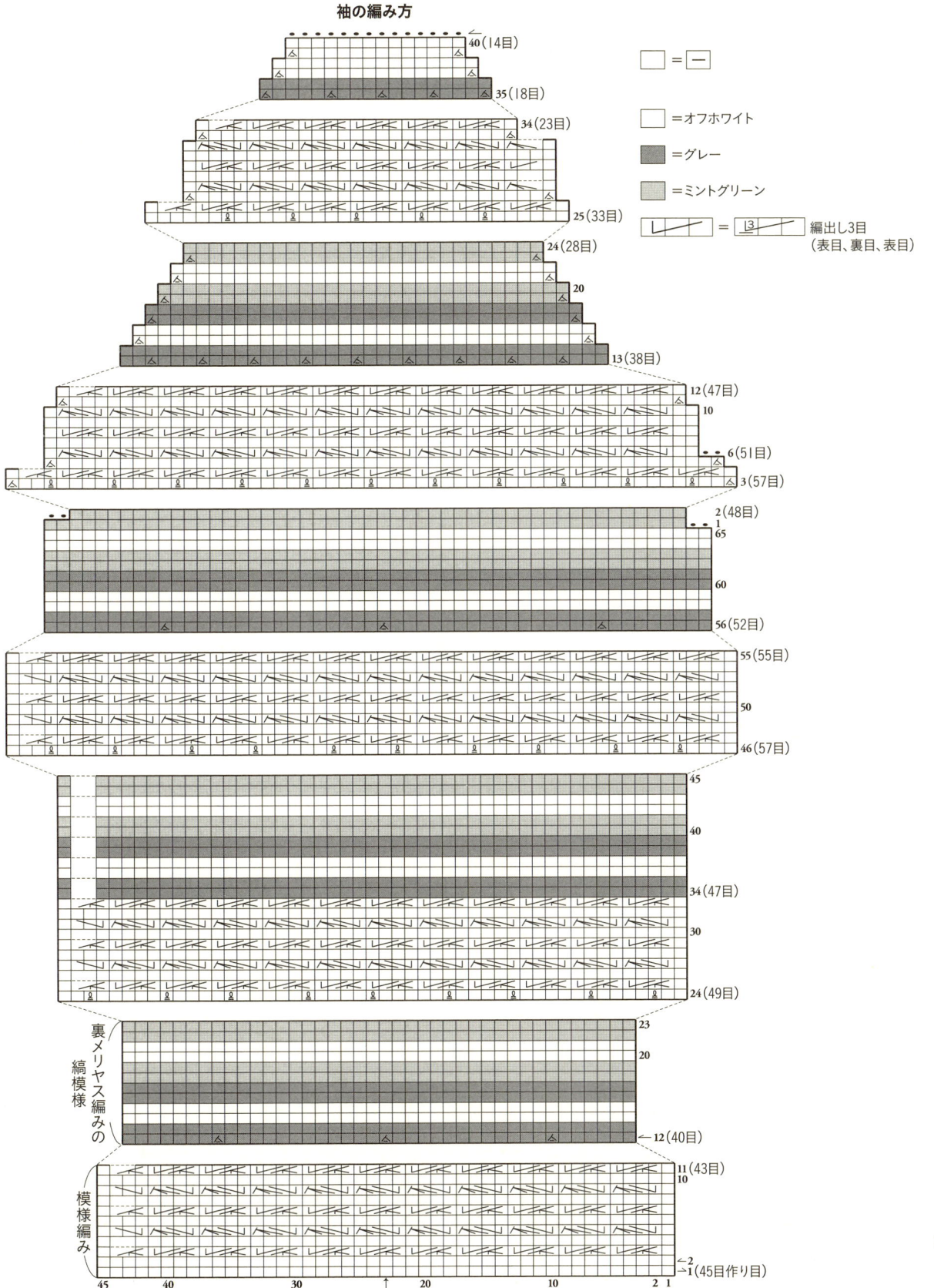

凡例:
- □ = －
- □ = オフホワイト
- ■ = グレー
- ▨ = ミントグリーン
- ⌐╱ = ⌐╱ 編出し3目（表目、裏目、表目）

40 (14目)
35 (18目)
34 (23目)
25 (33目)
24 (28目)
20
13 (38目)
12 (47目)
10
6 (51目)
3 (57目)
2 (48目)
1
65
60
56 (52目)
55 (55目)
50
46 (57目)
45
40
34 (47目)
30
24 (49目)
23
20
12 (40目) ← 裏メリヤス編みの縞模様
11 (43目)
10
2
1 (45目作り目) ← 模様編み

45　40　30　20　10　2 1
↑中央

79

page33 木のミトン

[糸] パピー ミニスポーツ 生成り(700)85g
[用具] 6号4本棒針
[ゲージ] ガーター編み 20目32段が10cm四方
模様編み 24.5目32段が10cm四方
[サイズ] てのひら回り18cm、長さ23.5cm
[編み方] 糸は1本どりで編みます。

左手を編みます。指に糸をかける方法で36目作り目して輪にし、ガーター編みを22段編みます。続けて、甲側の模様編みとてのひら側のガーター編みを編みながら、指定の位置で増し目をして親指のまちをメリヤス編みで19段編みます。親指のまちを休み目にし、甲側とてのひら側を輪に編み、残った8目に糸を通して絞ります。休めておいた親指のまちから目を拾い、親指をメリヤス編みで編みます。右手は対称に編みます。

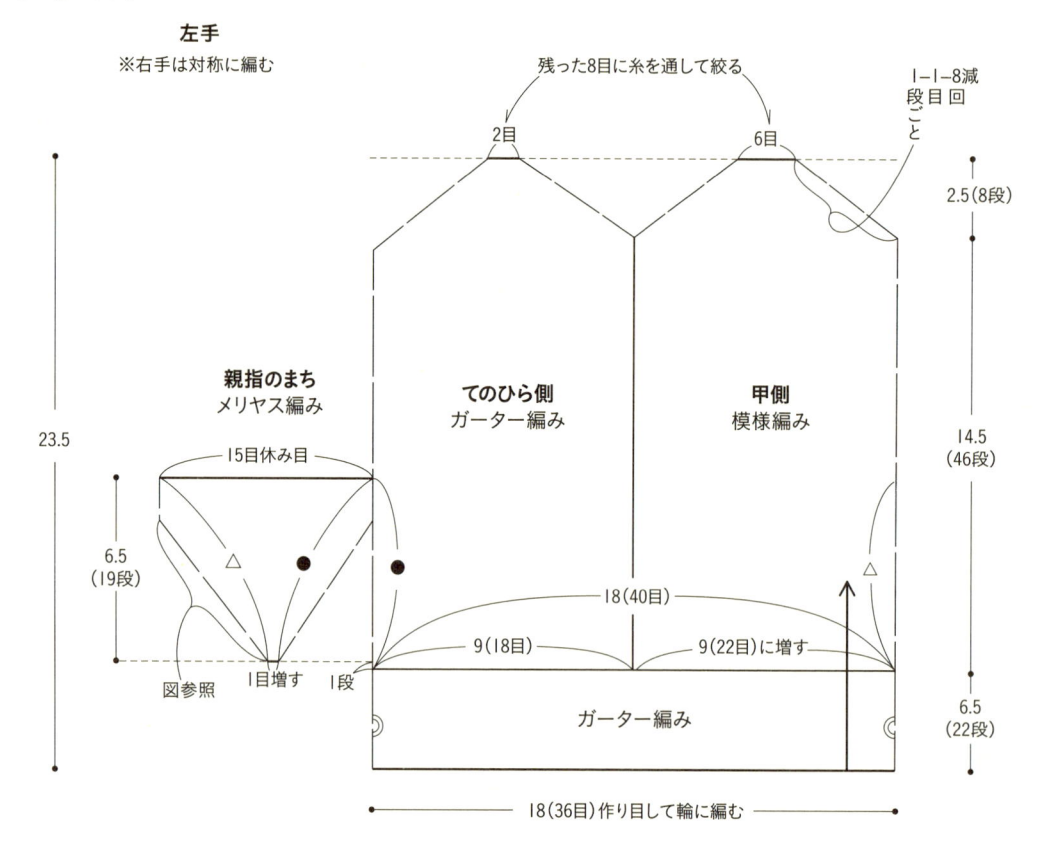

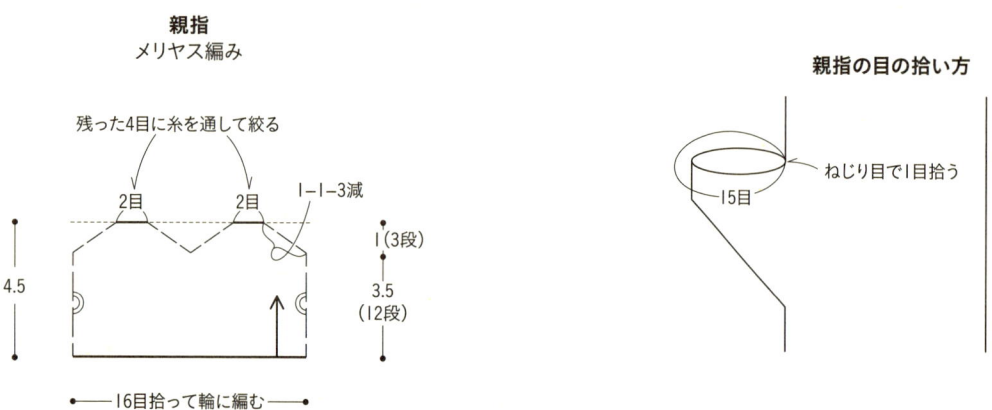

左手
※右手は対称に編む

残った8目に糸を通して絞る
2目 6目
1-1-8減 段目回 ごと
2.5(8段)

親指のまち メリヤス編み
てのひら側 ガーター編み
甲側 模様編み

23.5
15目休み目
14.5(46段)

6.5(19段)
△ ● ● △
18(40目)
9(18目) 9(22目)に増す
1目増す 1段
図参照
ガーター編み
6.5(22段)

18(36目)作り目して輪に編む

親指 メリヤス編み

残った4目に糸を通して絞る
2目 2目 1-1-3減
1(3段)
4.5
3.5(12段)

16目拾って輪に編む

親指の目の拾い方

ねじり目で1目拾う
15目

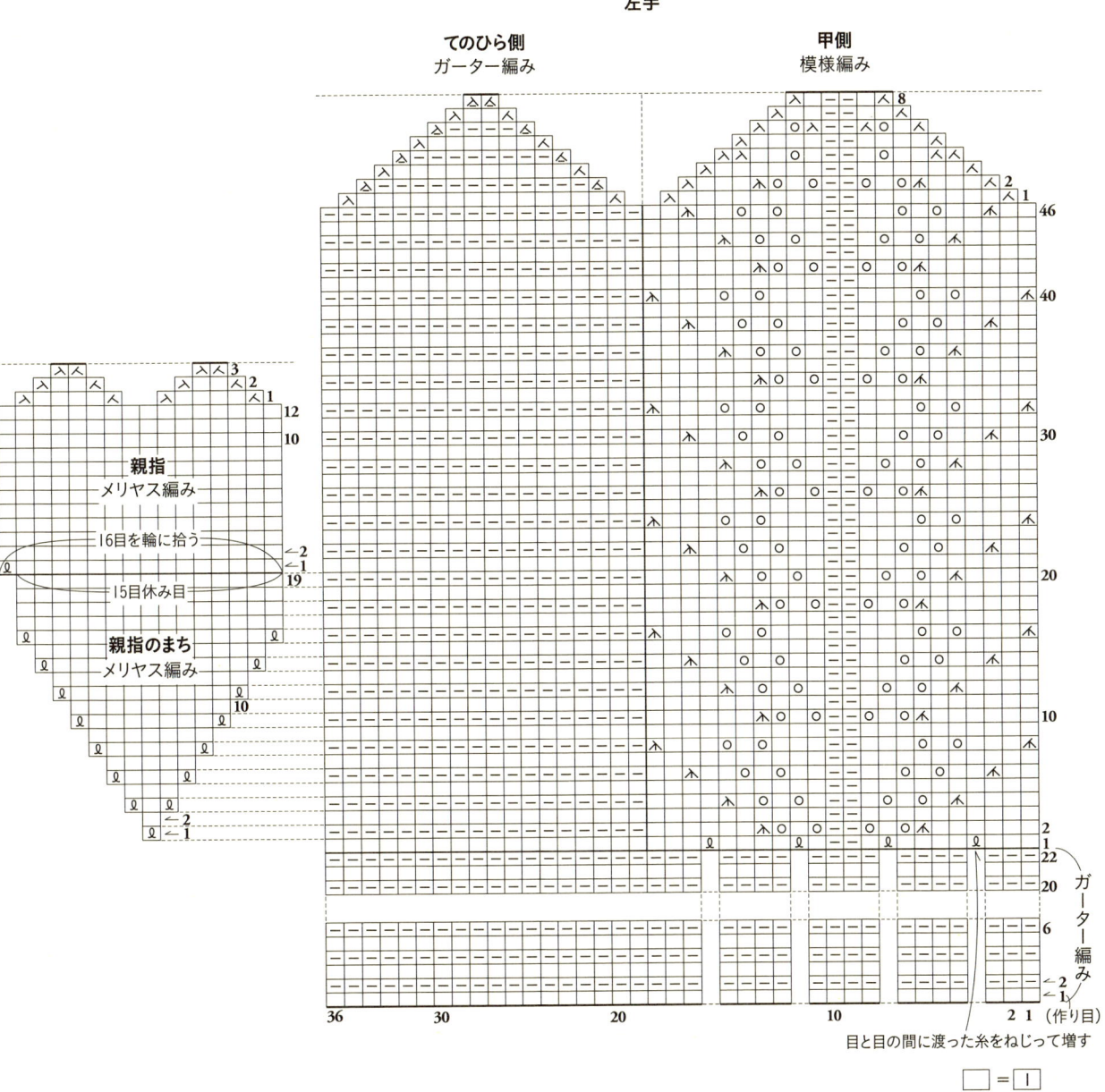

左手

てのひら側　　　甲側
ガーター編み　　模様編み

親指
メリヤス編み

16目を輪に拾う
15目休み目

親指のまち
メリヤス編み

ガーター編み

（作り目）

目と目の間に渡った糸をねじって増す

□ = |

page30 玉編みのリブウォーマー

[糸]	リッチモア アルパカ〈ファイン〉 茶色（5）415g
[用具]	4/0号かぎ針、8号輪針（80cm）、8号4本棒針
[ゲージ]	模様編み 23.5目11段が10cm四方
[サイズ]	着丈48.5cm、ゆき丈52cm
[編み方]	糸は、指定以外は4/0号針、1本どりで編みます。

後ろは、4/0号針を使って鎖編みで107目作り目し、模様編みで図のように減らしながら編みます。作り目から目を拾い、反対側を同様に編みます。前は同様に137目作り目し、模様編みで編みます。同じものを2枚編みます。肩と袖下を中表で鎖とじにします。2本どりにし、8号輪針で前立てに、8号4本棒針で袖口にガーター編みを編みます。

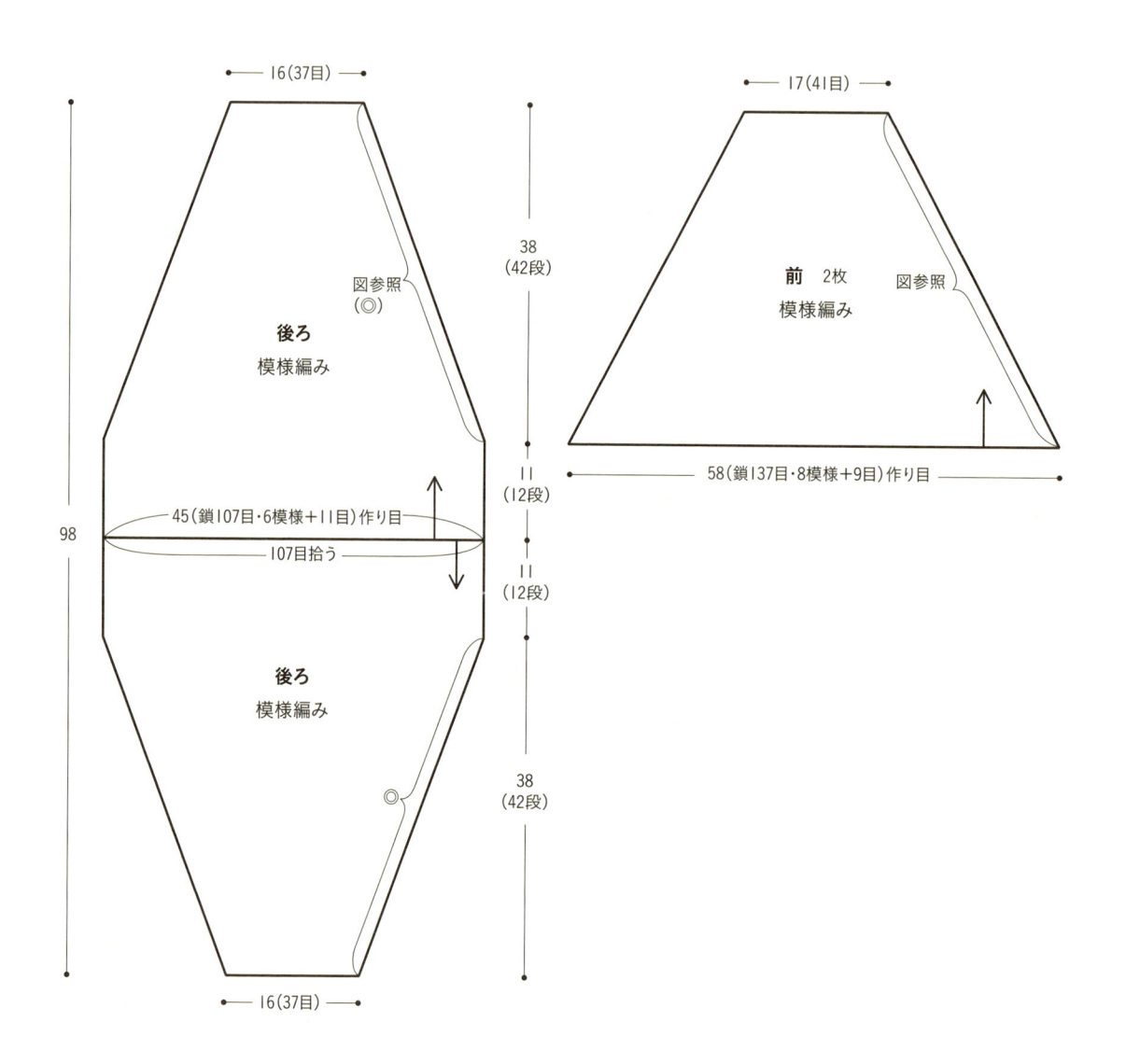

後ろ 模様編み
- 上下 16(37目)
- 38(42段)
- 11(12段)
- 11(12段)
- 38(42段)
- 98
- 45(鎖107目・6模様＋11目)作り目
- 107目拾う
- 図参照（◎）

前 2枚 模様編み
- 17(41目)
- 38
- 58(鎖137目・8模様＋9目)作り目
- 図参照

後ろの編み方

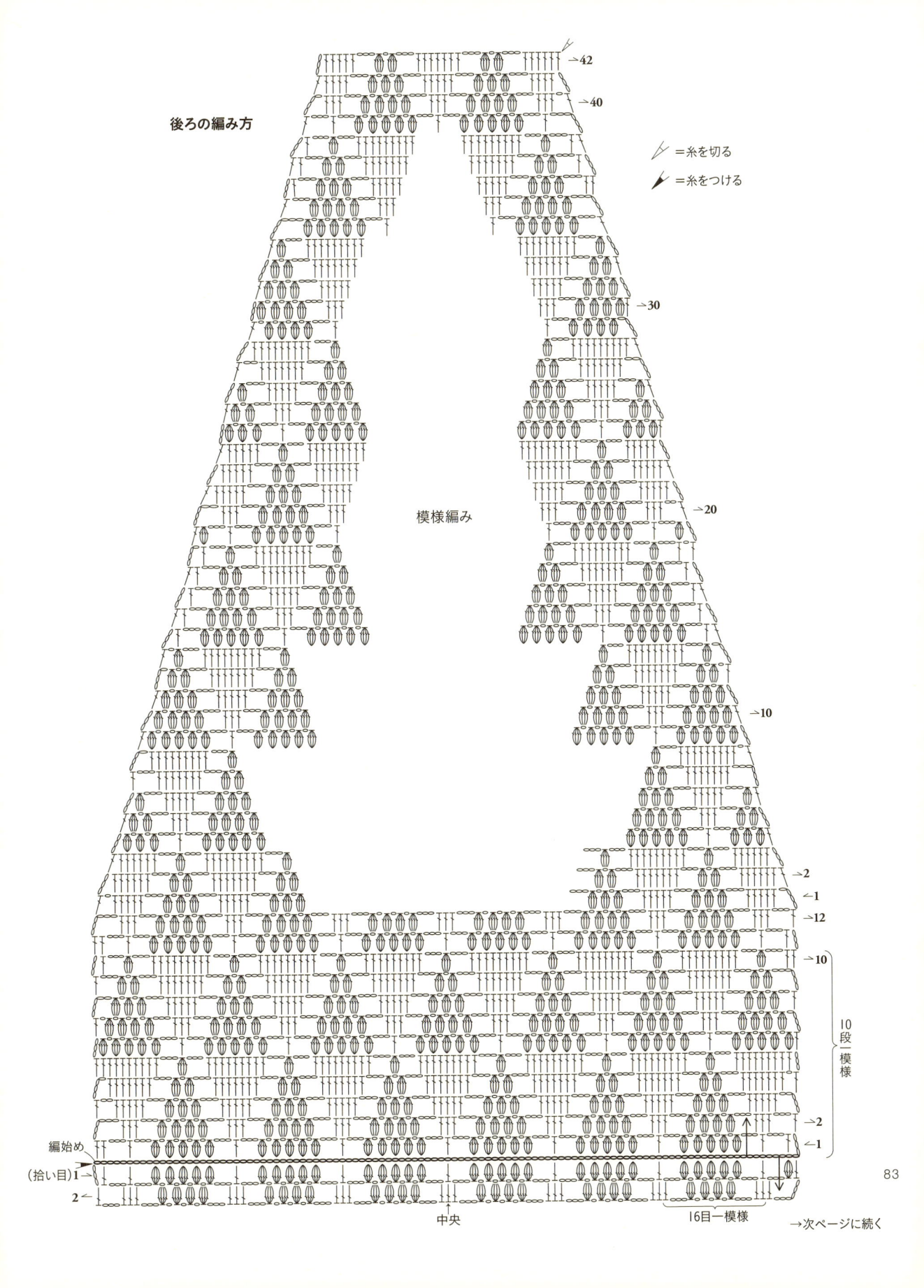

✎ =糸を切る
➤ =糸をつける

→42
→40
→30
→20
→10
→2
←1
←12
→10
10段1模様
→2
←1
編始め
(拾い目)1→
2←
↑中央
16目1模様
→次ページに続く

前の編み方

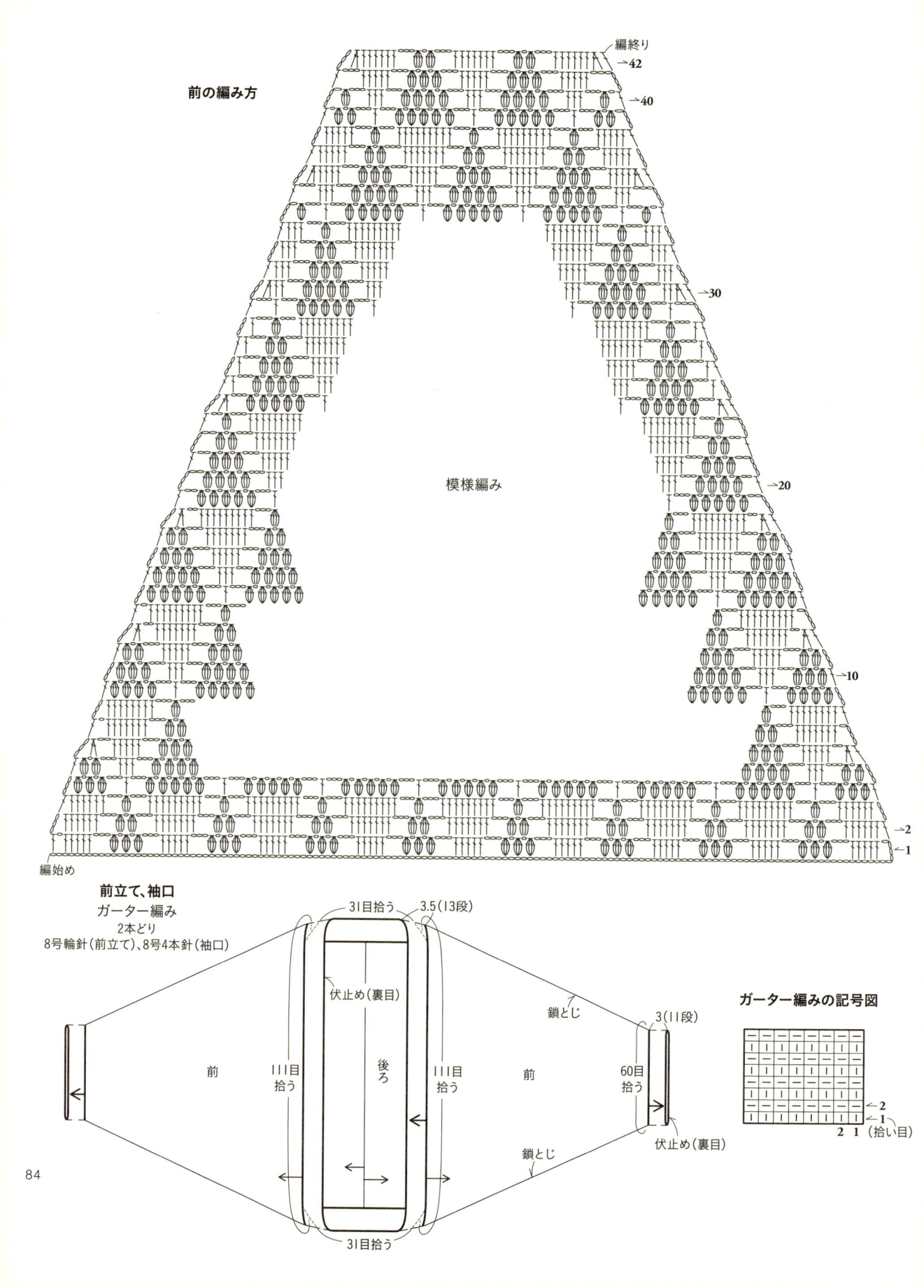

模様編み

編終り
→42
→40
→30
→20
→10
→2
→1
編始め

前立て、袖口
ガーター編み
2本どり
8号輪針(前立て)、8号4本針(袖口)

31目拾う　3.5(13段)
伏止め(裏目)
鎖とじ
3(11段)
前　111目拾う　後ろ　111目拾う　前　60目拾う
鎖とじ
伏止め(裏目)
31目拾う

ガーター編みの記号図
→2
→1
2 1 (拾い目)

編み物の基礎　棒針編み

[製図の見方]

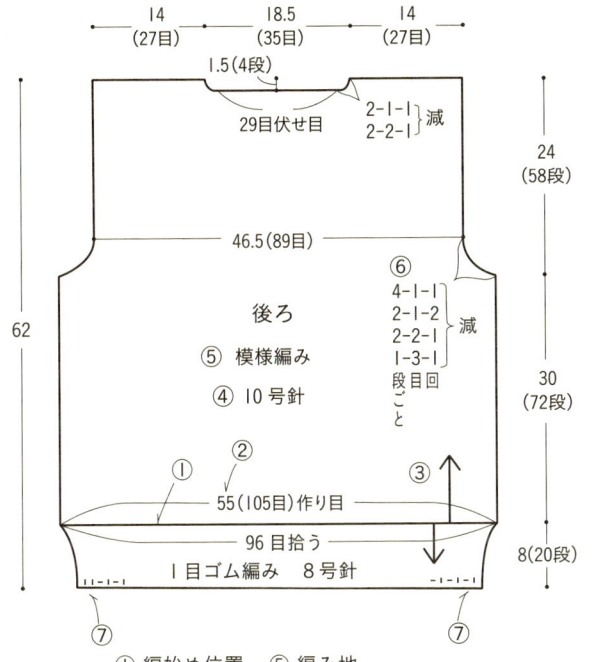

[記号の見方]

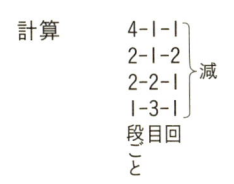

14 (27目)　18.5 (35目)　14 (27目)

1.5(4段)

29目伏せ目

2-1-1 } 減
2-2-1

24 (58段)

46.5 (89目)

後ろ

⑤ 模様編み

④ 10号針

⑥ 計算
4-1-1
2-1-2
2-1-2 } 減
2-2-1
1-3-1
段目回ごと

62

30 (72段)

① ②

③

55 (105目) 作り目

96目拾う

1目ゴム編み　8号針

8 (20段)

1-1-1　-1-1-1

⑦　⑦

① 編始め位置　⑤ 編み地
② 寸法（cm）　⑥ 計算
③ 編む方向　⑦ ゴム編みの端目の記号
④ 使う針

計算
4-1-1
2-1-2
2-1-2 } 減
2-2-1
1-3-1
段目回ごと

記号図で表わした場合

編み地

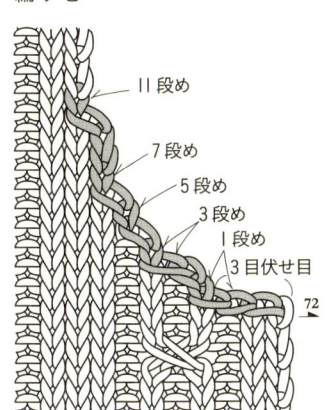

11段め
7段め
5段め
3段め
1段め
3目伏せ目

4-1-1
2-1-1 } 2-1-2
2-1-1
2-2-1
1-3-1

72

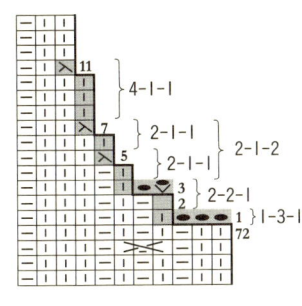

増す場合は減し方と同じ要領で
減し目を増し目に変えます。

「端2目立てて減らす」とは

「目を立てる」とは編み目をくずさずに通すことを意味し、ラグラン線の減し目などによく使われます。「端2目立てて減らす」という場合は端から2目めが3目めの上になるように2目一度をします。

記号図で表わした場合

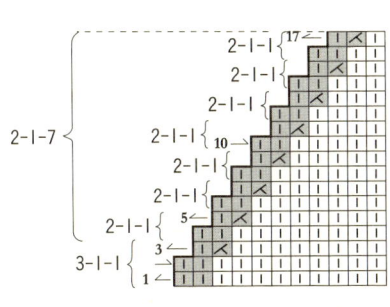

編み地

2-1-7 {
2-1-1
2-1-1
2-1-1
2-1-1
2-1-1
2-1-1
2-1-1
3-1-1

17

10

5
3
1

[模様編み記号図の見方]

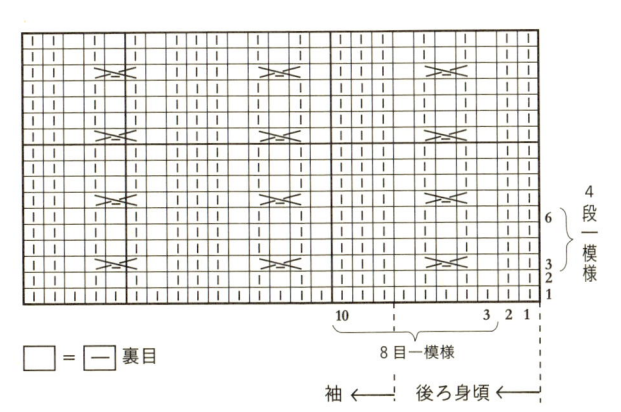

4段一模様

6
4
3 2 1

10　3 2 1

8目一模様

□ = ― 裏目

袖←　後ろ身頃

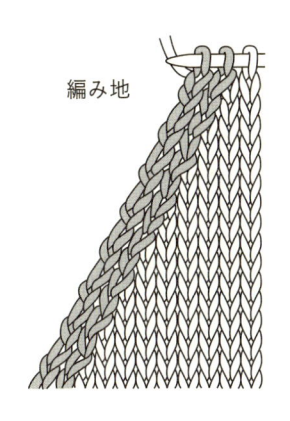

記号図は編み地の表側から見たもので、例外を除き、後ろ身頃の右端の1段めから書かれていて、左端は身頃の左端の編み目になります。
1段めに矢印「→」があるときは、1段めを左側（裏側）から編みます。
途中に「袖←」などの指定があるときは、指定（袖）の右端をその位置から編み始めるという意味です。

[指に糸をかけて目を作る方法] いろいろな編み地に適し、初心者にも作りやすい方法です。

1 
糸端から編み幅の約3倍の長さのところで輪を作り、棒針を輪の中に通す

2 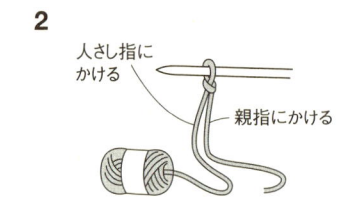
輪を引き締める。1目めのでき上り

3 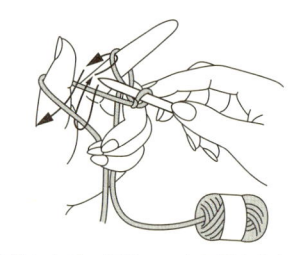
糸端側を左手の親指に、糸玉側を人さし指にかけ、人さし指にかかっている糸を矢印のようにすくう

4 
親指の糸を外し、手前の糸を矢印の方向に引き締める

5 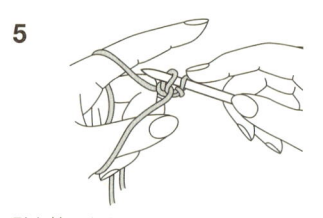
引き締めたところ。3〜5を繰り返し、必要目数作る

6 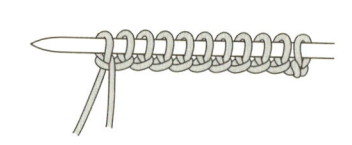
でき上り。1段めと数える。この棒針を左手に持ち替えて2段めを編む

[針にかかった目から編み出す方法] 著者が使用している方法です。作り目が薄く仕上がります。

1 
左針に1目めを指で作る

2 
1目めに右の針を入れ、糸をかける

3 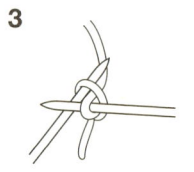
引き出す

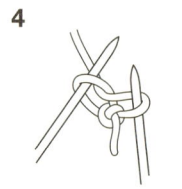

4
引き出した目を左の針に移す

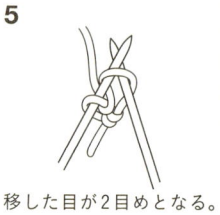

5
移した目が2目めとなる。2目めに右針を入れる

6 
2〜3と同様に糸をかけて引き出す

7 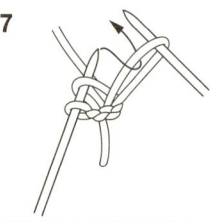
引き出した目を左の針に移す

8 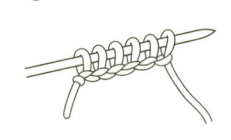
必要目数作る。1段めと数える

[目の止め方]

伏止め（表目） ●

1 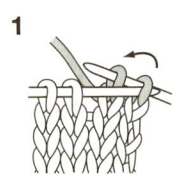
端の2目を表目で編み、1目めを2目めにかぶせる

2 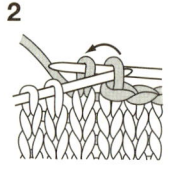
表目で編み、かぶせることを繰り返す

3 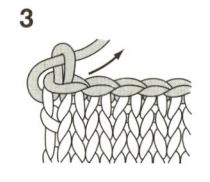
最後の目は、引き抜いて糸を締める

伏止め（裏目） ━

1 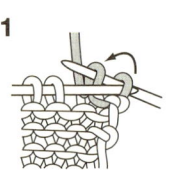
端の2目を裏目で編み、1目めを2目めにかぶせる

2 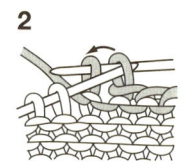
裏目で編み、かぶせることを繰り返す

3 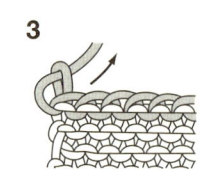
最後の目は、引き抜いて糸を締める

[編み目記号] 編み目記号は編み地の表側から見た操作記号です。
例外（かけ目・巻き目・引上げ目・すべり目・浮き目）を除き1段下にその編み目ができます。

表目	裏目	かけ目	ねじり目	ねじり目（裏目）
丨	―	○	Ω	Ω（裏）

右上2目一度	左上2目一度	右上2目一度（裏目）		左上2目一度（裏目）
表目を編む／編まずに右針に移す／移した目をかぶせる	表目を2目一度に編む	右針に移した2目に針を入れる	裏目を2目一度に編む	裏目を2目一度に編む

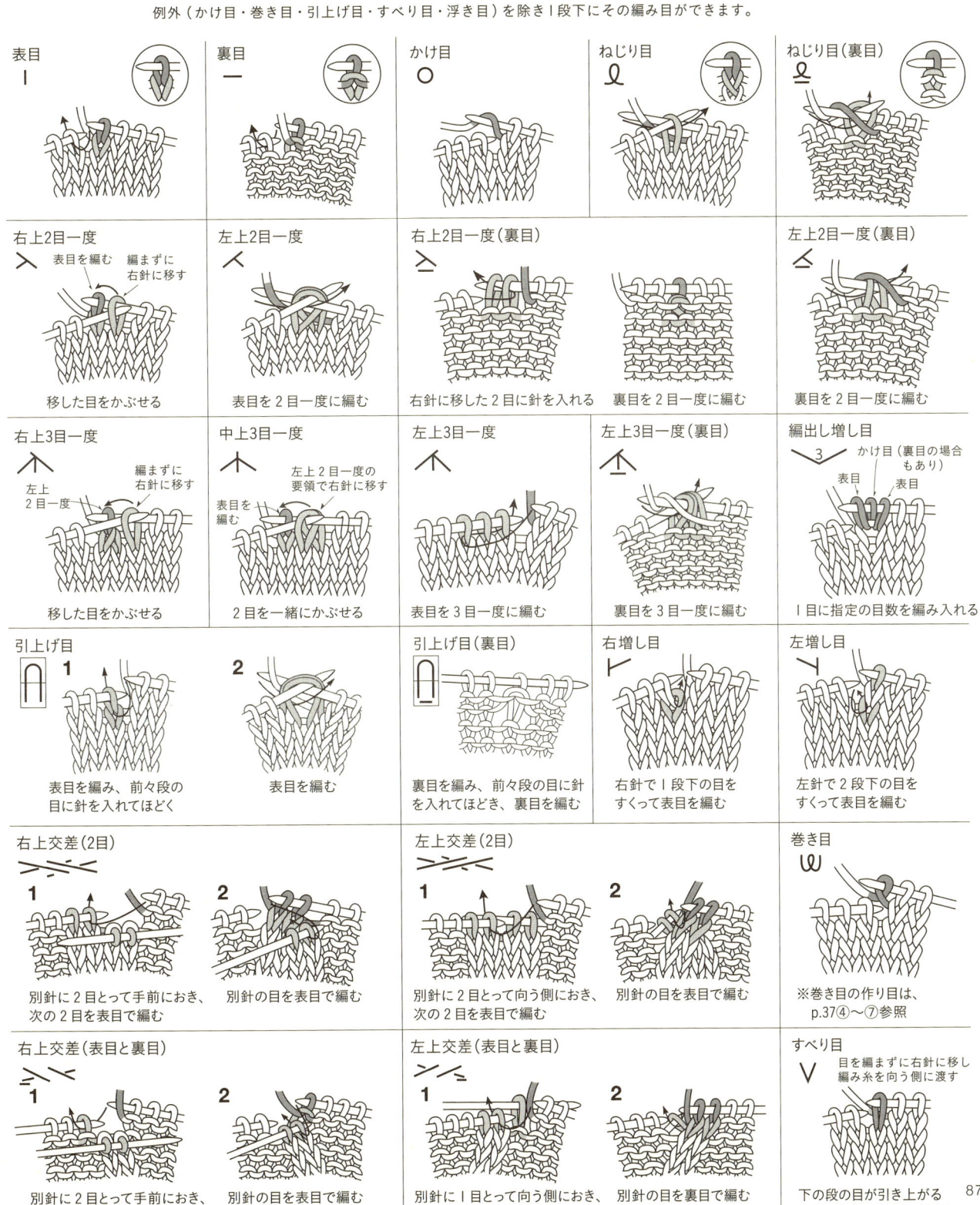

右上3目一度	中上3目一度	左上3目一度	左上3目一度（裏目）	編出し増し目
左上2目一度／編まずに右針に移す／移した目をかぶせる	左上2目一度の要領で右針に移す／表目を編む／2目を一緒にかぶせる	表目を3目一度に編む	裏目を3目一度に編む	かけ目（裏目の場合もあり）／表目／表目／1目に指定の目数を編み入れる

引上げ目 1	引上げ目 2	引上げ目（裏目）	右増し目	左増し目
表目を編み、前々段の目に針を入れてほどく	表目を編む	裏目を編み、前々段の目に針を入れてほどき、裏目を編む	右針で1段下の目をすくって表目を編む	左針で2段下の目をすくって表目を編む

右上交差(2目) 1	2	左上交差(2目) 1	2	巻き目
別針に2目とって手前におき、次の2目を表目で編む	別針の目を表目で編む	別針に2目とって向う側におき、次の2目を表目で編む	別針の目を表目で編む	※巻き目の作り目は、p.37④〜⑦参照

右上交差（表目と裏目） 1	2	左上交差（表目と裏目） 1	2	すべり目
別針に2目とって手前におき、次の1目を裏目で編む	別針の目を表目で編む	別針に1目とって向う側におき、次の2目を裏目で編む	別針の目を表目で編む	目を編まずに右針に移し編み糸を向う側に渡す／下の段の目が引き上がる／※編み糸を手前側に渡すと∀（浮き目）

87

[1目内側でねじり目で増す方法] 目と目の間の糸をねじって増します。

右側

1　2　3

1目めと2目めの間の渡り糸を右の針ですくい、ねじり目で編む
※左側も同様に編む

セーターの裾や袖口のゴム編みとの境目で増し目をするときも同じ方法で増します。

[端で2目減らす方法]

右側

1　表目を編む　編まずに右の針に移す
2　かぶせる
3

左側

1　2　3

裏側で減らす場合

右側
左針を矢印のように入れ、目を入れ替えて編む

左側

[端で2目以上減らす方法]

右側

2目伏せ目(表目2回め)
4目伏せ目　←(表目1回め)

1　表目2目　かぶせる
2　表目を編む　かぶせる
3

1回めは編み端に角をつけるために、始めの1目も表目で編み、2目めにかぶせる

4　表目を編む　かぶせる　すべり目
5　表目を編む　かぶせる
6　2回め(2目伏せ目)　1回め(4目伏せ目)

2回め以降は編み地をなだらかにするために、始めの1目は編まずにすべり目して次の目は表目を編み、すべり目を表目にかぶせる

左側

(裏目2回め)2目伏せ目
4目伏せ目
(裏目1回め)

1　裏目2目　かぶせる
1回め
2　裏目を編む
3　かぶせる

4　裏目を編む　かぶせる　すべり目
2回め
5　裏目を編む　かぶせる
6　2回め(2目伏せ目)　1回め(4目伏せ目)

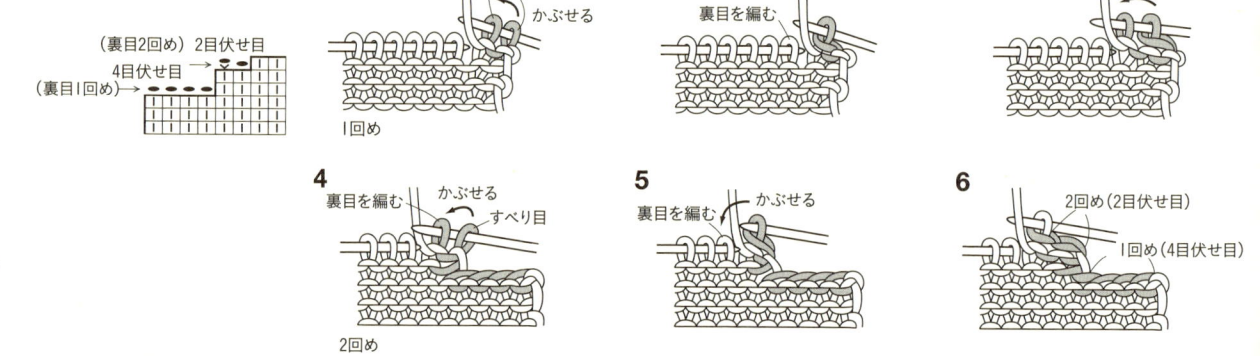

［はぎ方・とじ方］

引抜きはぎ

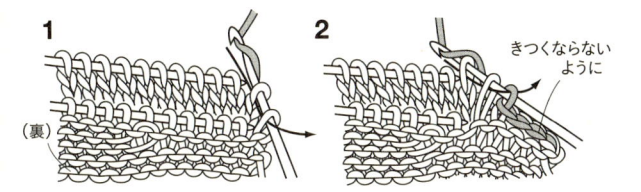

1 **2** きつくならないように

（裏）

肩はぎでよく使う方法。編み地を中表にして持ち、かぎ針で前後の1目ずつとって引き抜く

メリヤスはぎ

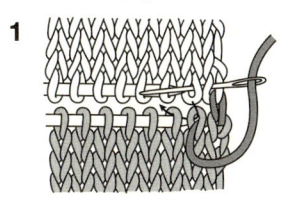

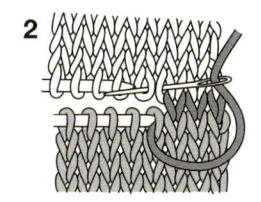

1 **2**

メリヤス目を作りながらはぎ合わせていく方法。表を見ながら右から左へはぎ進む。下はハの字に、上は逆ハの字に目をすくっていく

目と段のはぎ方

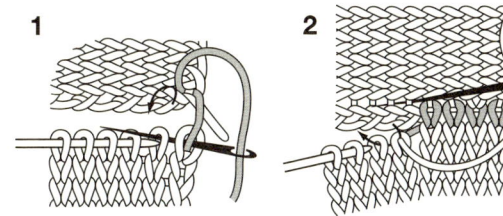

1 **2**

上の段は端の目と2目めの間の横糸をすくい、下の段はメリヤスはぎの要領で針を入れていく

はぎ合わせる目数より段数が多い場合は、ところどころで1目に対して2段すくい、平均にはぐ

すくいとじ

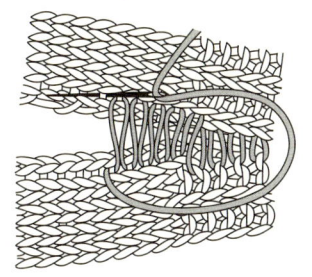

1目めと2目めの間の渡り糸を1段ずつ交互にすくう

［編込み模様の糸の替え方］

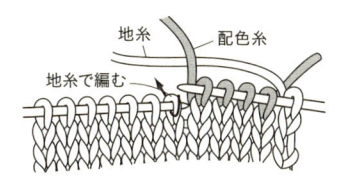

1 地糸　配色糸　地糸で編む

配色糸を上にして、地糸で編む

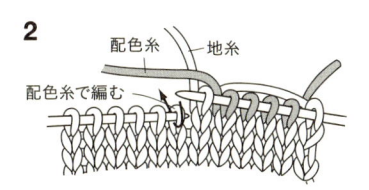

2 配色糸　地糸　配色糸で編む

配色糸を地糸の上にして替える

［親指の目の拾い方］ 親指穴の下側は別糸を通して目を休め、上側は巻き目の作り目（p.37④〜⑦参照）で目を作ります。

1 別糸を抜いて左針にとり、新たな糸を使って、親指の編込み図案に従って下側の目を編む。

2 下側の10目を編んだところ。

3 親指穴の左隣の目に針を入れ、ねじりながら2目編む（右下図・親指の目の拾い方参照）。

4 下の10目と上下の間の糸から2目拾ったところ。次に、上側の10目を拾う。

5 上側の10目を拾う。作り目の根もとの糸2本がクロスしているところを、2本一度に針を入れて拾う。

6 1目編んだところ。同じ要領で10目編む。

7 3と同じ要領でねじり目で2目編み、全部で24目拾ったところ。

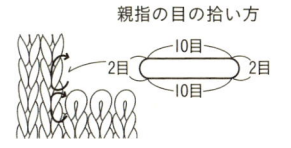

親指の目の拾い方

2目　10目　2目
　　　10目

89

編み物の基礎　かぎ針編み

[作り目]
編始めの方法

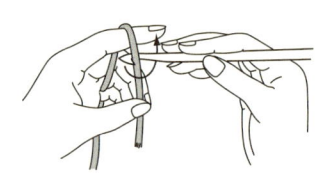

1 左手にかけた編み糸に、針を矢印のように入れて糸をねじる

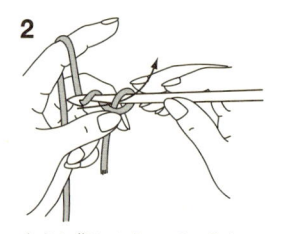

2 人さし指にかかっている糸を針にかけて引き出す

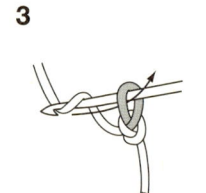

3 針に糸をかけて引き出す

4 3を繰り返し、必要目数作る

鎖目からの平編み

鎖状になっているほうを下に向け、裏側の山に針を入れる

下側に鎖状の目がきれいに並ぶ

[編み目記号]

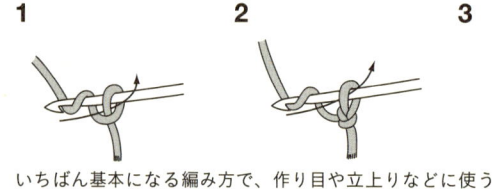

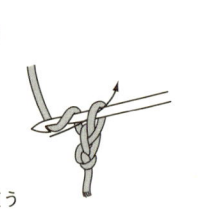

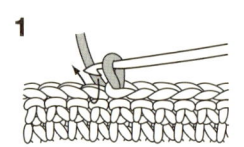

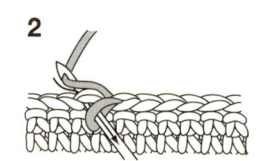

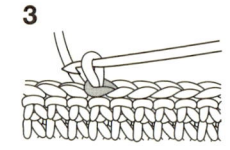

○ 鎖編み

いちばん基本になる編み方で、作り目や立上りなどに使う

● 引抜き編み

前段の編み目に針を入れ、糸をかけて一度に引き抜く

× 細編み

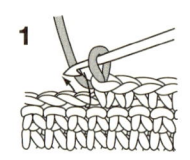

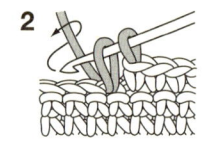

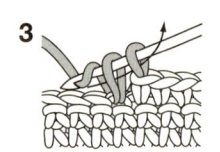

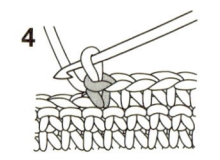

立上りに鎖1目の高さを持つ編み目。針にかかっている2本のループを一度に引き抜く

∧ 細編み2目一度

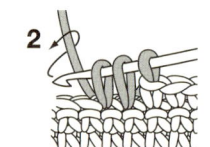

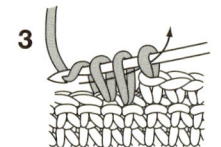

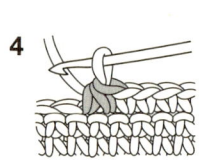

前段の目から糸を引き出しただけの未完成の2目を、針に糸をかけて一度に引き抜いて1目減らす

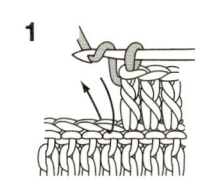

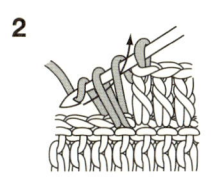

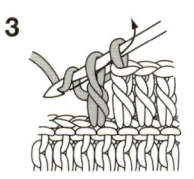

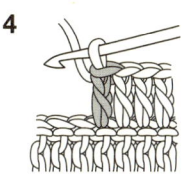

長編み
立上りに鎖3目の高さを持つ編み目。1回針に糸をかけ、針にかかっているループを2本ずつ2回引き抜く

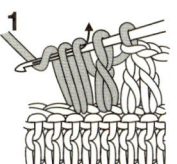

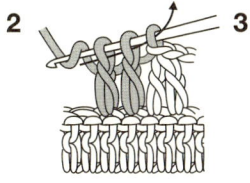

長編み2目一度
未完成の長編みを2目編み、一度に引き抜いて1目減らす

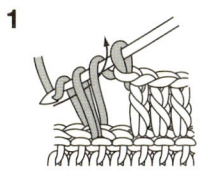

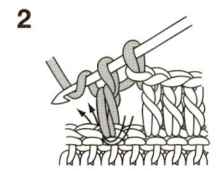

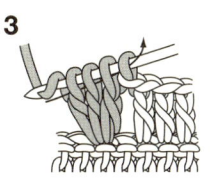

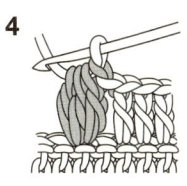

長編み3目の玉編み
前段の1目に未完成の長編みを3目編み、一度に引き抜く　※目数が異なる場合も、同じ要領で編む

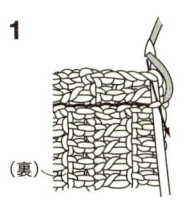

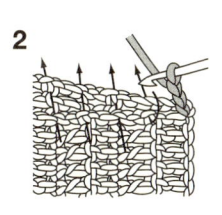

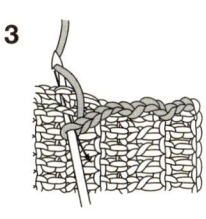

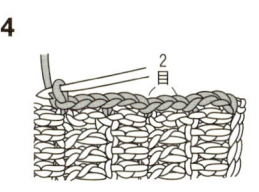

[とじ方]
鎖とじ
(裏)
中表にして針を入れ、鎖2目を編み、段の頭の目を割って針を入れて引き抜く

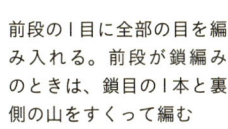

2目

Ｖと∧の区別
前段の1目に全部の目を編み入れる。前段が鎖編みのときは、鎖目の1本と裏側の山をすくって編む

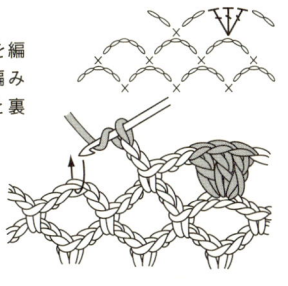

前段が鎖編みのとき、一般的には鎖編みを全部すくって編む（「束にすくう」と言う）

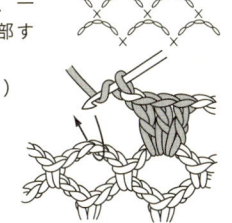

[ポンポンの作り方]
1　ポンポンの直径に0.5cm加えた幅
厚紙に糸を指定回数巻く

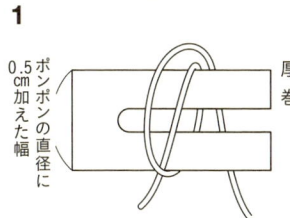

2　中央を同色の糸でしっかり結び、毛糸を結び目に通して糸端でかがる。両側の輪を切る
輪を切る（両側）

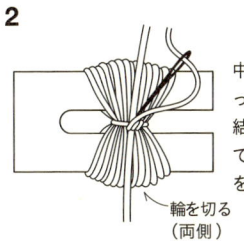

3　形よく切りそろえる

ブックデザイン	渡部浩美
撮影	長野陽一（口絵）
	中辻 渉（プロセス、INDEX）
スタイリング	岡尾美代子
ヘア＆メイク	茅根裕己
モデル	谷口 蘭
	山岸ゆりは
トレース	大楽里美（p.42～84）
	薄井年夫
	白くま工房
校閲	向井雅子
編集	三角紗綾子（リトルバード）
	宮﨑由紀子（文化出版局）

冬の日の編みもの

2012年10月28日　第1刷発行

著　者　三國万里子
発行者　大沼 淳
発行所　学校法人文化学園 文化出版局
　　　　〒151-8524　東京都渋谷区代々木3-22-7
　　　　☎ 03-3299-2460（編集）
　　　　☎ 03-3299-2540（営業）
印刷・製本所　株式会社文化カラー印刷

©Mariko Mikuni 2012 Printed in Japan
本書の写真、カット及び内容の無断転載を禁じます。

- 本書のコピー、スキャン、デジタル化等の無断複製は著作権法上での例外を除き、禁じられています。
  本書を代行業者等の第三者に依頼してスキャンやデジタル化することは、たとえ個人や家庭内での利用でも著作権法違反になります。
- 本書で紹介した作品の全部または一部を商品化、複製頒布、及びコンクールなどの応募作品として出品することは禁じられています。
- 撮影状況や印刷により、作品の色は実物と多少異なる場合があります。ご了承ください。

文化出版局のホームページ　http://books.bunka.ac.jp/
書籍編集部情報や作品投稿などのコミュニティサイト　http://fashionjp.net/community/

この本の編み方に関するお問合せは、リトルバードにお願いします。　☎ 03-5823-0515（受付け時間は平日の13～17時）

[素材提供]

ダイドーインターナショナル パピー事業部（パピー）
☎ 03-3257-7135　　http://www.puppyarn.com/

ハマナカ
☎ 075-463-5151（代）　http://www.hamanaka.co.jp/

ハマナカ リッチモア販売部（リッチモア）
☎ 075-463-5151（代）　http://www.richmore.jp/

[その他の材料の入手先]

シェーラ（ジェイミソンズ スピニング）
☎ & FAX　03-5486-0522（電話受付けは火・水曜日の10～16時のみ）
http://homepage2.nifty.com/Shaela/

[撮影協力]

ADIEU TRISTESSE LOISIR 代官山アドレス店　☎ 03-3770-2605
（p.07左のネイビーのニットマント、p.18のパニエ）

Bshop　☎ 03-6427-3710
（p.14のパンツ、p.17のコート、p.07右、11、23の中に着たセーター、p.32のショルダーバッグ）

congés payés ADIEU TRISTESSE　☎ 03-6853-5710
（p.04、09の下に履いたスリムパンツ）

DRESSTERIOR 二子玉川店　☎ 03-5797-3351
（p.12、40のプルオーバー、p.14の白いブラウス、p.30のスカート、p.32のチェック柄ワンピース）

HABERDASHERY 丸の内店　☎ 03-3211-1512
（p.23のコート）

journal standard luxe 渋谷店　☎ 03-5457-0844
（p.16のコート）

Studio Sympathique　☎ 03-3499-5054
（p.22のワンピース）

TOUJOURS　☎ 03-5939-8090
（p.07左の白いワイドシャツ、p.07右、26のサイドボタンパンツ、
cover、p.13、24、40のチュチュスカート、レギンス、
cover、p.18、24の白いスタンダードカラーシャツ）

渡辺産業プレスルーム　☎ 03-5466-3446
（p.11のコート、p.14のプレーントーシューズ）

PROPS NOW　☎ 03-3473-6210

神奈川スケートリンク　☎ 045-321-0847